하루 한 장 60일 집중 완성

교과도형

초4

D1

각도와 삼각형

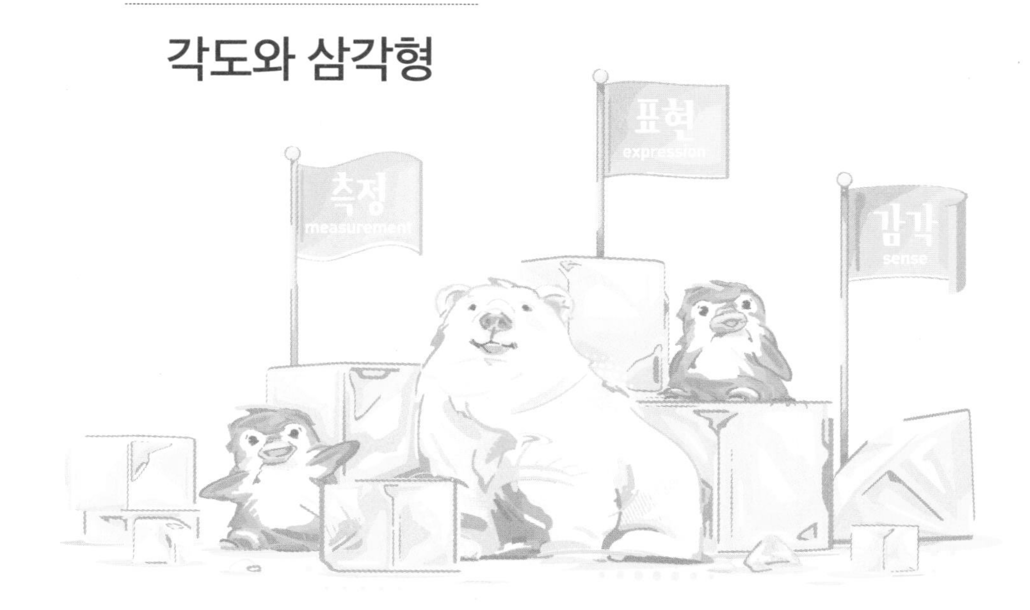

에듀히어로
Edu HERO

"진짜 히어로는 우리 아이들입니다!"

에듀히어로는
우리 아이들이 밝고 건강한 내일을 꿈꿀 수 있도록
긍정적이고 효과적인 교육 서비스를 제공하는 것을
최우선 목표로 하고 있습니다.

그 존재만으로도 든든한 히어로처럼 아이들의 곁에서 힘이 되어주고,
나아가 아이들 각자가 스스로의 인생 속 히어로가 될 수 있도록

우리는 진심과 열정을 다해 아이들과 함께 할 것을 약속 드립니다.

네이버 카페

교재 상세 소개와 진단 테스트
및 유용하게 풀 수 있는
학습 자료를 다운로드 해 보세요.

인스타그램

에듀히어로 인스타그램을
팔로우하시면 다양한 이벤트와
신간 소식을 빠르게 만나보실
수 있습니다.

카카오톡 채널

자녀 수학 공부 상담 및
자유로운 질문을 남겨 주세요.
함께 고민하고
답변해 드리겠습니다.

히어로컨텐츠 HEROCONTENTS

발행일: 2024년 3월 **발행인**: 이예찬

기획개발: 두줄수학연구소

디자인: 4BD STUDIO **삽화**: 1000DAY

발행처: 히어로컨텐츠

주소: 서울특별시 금천구 서부샛길 632, 7층(대륭테크노타운5차)

전화: 02-862-2220 **팩스**: 02-862-2227

지원카페: cafe.naver.com/eduherocafe **인스타그램**: @edu_ _hero

하루 한 장 60일 집중 완성 교과도형은

달라진 교과서와 학교 수업 진도에 맞추어 학습자가 체계적으로 도형을 학습할 수 있도록 안내합니다.

이전의 도형 학습이 도형의 정의와 성질을 외우고, 도형의 측정결과를 계산하는 '결과' 중심의 학습이었다면 지금의 도형 학습은 공간에 대한 이해와 해석(공간감각)을 바탕으로 모양을 인식하고 변화를 유추하고 다양한 방법으로 도형을 측정하고 그 결과를 표현하는 '과정' 중심의 학습입니다.

교과도형은 수학교육의 변화와 핵심을 이해하고 올바른 방향을 제시해 주는 든든한 길잡이가 될 것입니다.

하루 한 장 60일 집중 완성 교과도형은

① 공간감각 ② 도형표현 ③ 도형측정을 중심으로 교과서에서 다루는 모든 도형을 체계적으로 학습합니다.

공간감각

도형을 효과적으로 학습하기 위해서는 공간을 이해하고 해석하는 능력, 즉 '공간감각'이 필요합니다.

공간감각은 경험과 상상력을 바탕으로 머릿속에서 도형을 조작하고 결과를 유추하는 능력입니다. 공간감각은 단시간에 길러지지 않으므로 어릴 때부터 꾸준하게 학습하고 구체적인 경험을 쌓는 것이 중요합니다.

'교과도형'의 각 권 마지막에 있는 '도형플러스'는 각 권의 학습목표와 연계하여 공간감각을 한 단계 더 높여줄 수 있는 내용으로 구성하였습니다.

도형표현

공간에 존재하는 도형은 표현되었을 때 더 큰 의미를 가집니다.

- 삼각형을 찾는 것에서 그치지 않고 다양한 삼각형을 직접 그려 보고 왜 삼각형인지 설명하는 것
- 쌓기나무로 만든 모양을 위치와 방향을 이용하여 설명하는 것
- 도형을 여러 가지 기준과 특징에 따라 분류하고 왜 그렇게 분류했는지 설명하는 것
- 도형을 위·앞·옆에서 바라보고 그 모습을 그림으로 표현하는 것 등이 모두 '도형표현'입니다.

'교과도형'은 도형과 관련한 작은 그림에서부터 서술형 문장제까지 도형을 표현하는 다양한 방법을 효과적으로 학습합니다.

도형측정

측정은 도형과 아주 밀접한 관계가 있으므로 도형을 학습하면서 반드시 함께 다루어야 하는 영역입니다.

길이, 각도, 둘레, 넓이, 부피 등 흔히 '도형' 영역이라 생각하는 것이 사실 초등 교육과정에서는 '측정' 영역에 해당합니다. 사각형을 학습하는 것은 도형이지만 사각형의 둘레와 넓이를 구하는 것은 측정입니다. 각의 종류를 학습하는 것은 도형이지만 각도를 재는 것은 측정입니다. 이처럼 길이, 각도, 둘레, 넓이, 부피 등은 결국 도형을 측정하는 것입니다.

'교과도형'은 교과서의 모든 '도형' 영역을 다루었습니다. 여기에 도형과 반드시 연계하여 학습해야 하는 '측정' 영역을 추가로 다루어 더욱 완성된 도형 학습을 할 수 있도록 도와줍니다.

하루 한 장 60일 집중 완성 교과도형은 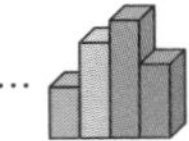

7세부터 6학년까지 총 7단계 21권(단계별 3권)으로 구성되어 있으며 각 권은 매일 한 장씩 4주간 체계적으로 학습할 수 있습니다.

1권, 20일

2권, 20일

3권, 20일

대 상	단 계	구 성
7세 ~ 1학년	P	P1, P2, P3
1학년	A	A1, A2, A3
2학년	B	B1, B2, B3
3학년	C	C1, C2, C3
4학년	D	D1, D2, D3
5학년	E	E1, E2, E3
6학년	F	F1, F2, F3

교과도형의 각 단계는 1, 2, 3권을 차례대로 학습합니다.

교과도형, 한 권이면 충분합니다

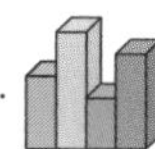

교과도형은 공간감각, 도형표현, 도형측정을 중심으로 교과서에서 다루는 모든 도형을 학습하고,
공간감각 향상을 위한 '도형플러스'와 학습 결과를 확인하는 '형성평가'를 제공합니다.

1 주차별 학습

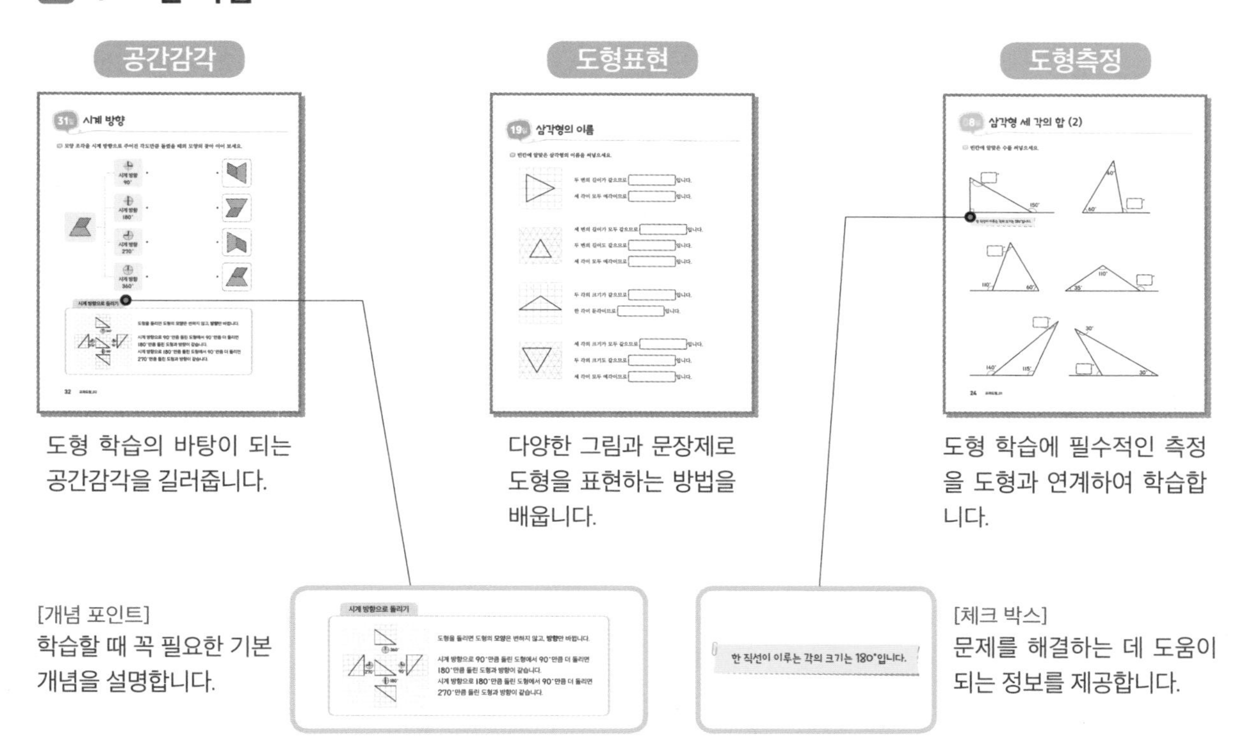

공간감각

도형 학습의 바탕이 되는 공간감각을 길러줍니다.

도형표현

다양한 그림과 문장제로 도형을 표현하는 방법을 배웁니다.

도형측정

도형 학습에 필수적인 측정을 도형과 연계하여 학습합니다.

[개념 포인트]
학습할 때 꼭 필요한 기본 개념을 설명합니다.

[체크 박스]
문제를 해결하는 데 도움이 되는 정보를 제공합니다.

2 도형플러스

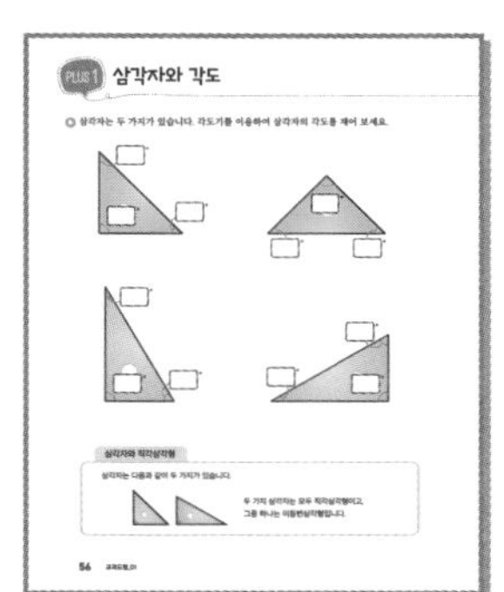

각 권의 학습 주제와 연계하여 공간감각을 더욱 향상시킵니다.

3 형성평가

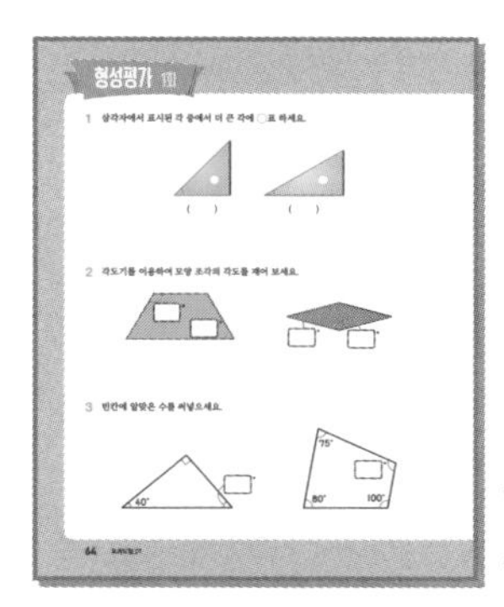

학습한 내용을 다시 한 번 복습하고 정리합니다.

이 책의 차례

1주차
01~05일

각의 크기

01일 각의 크기 비교

1 각의 크기가 작은 것부터 차례로 기호를 써 보세요.

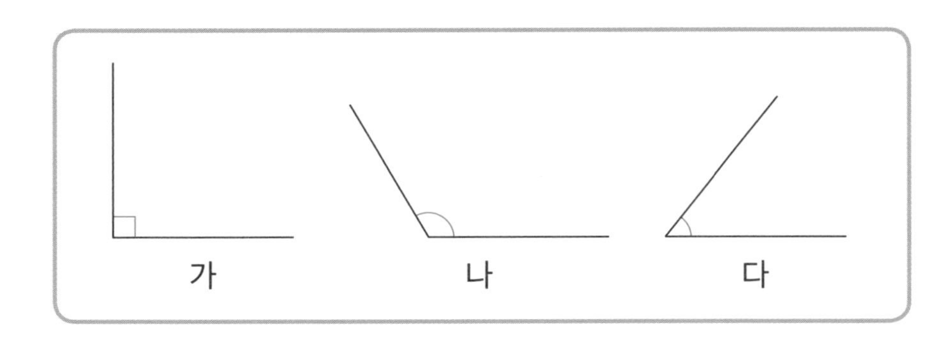

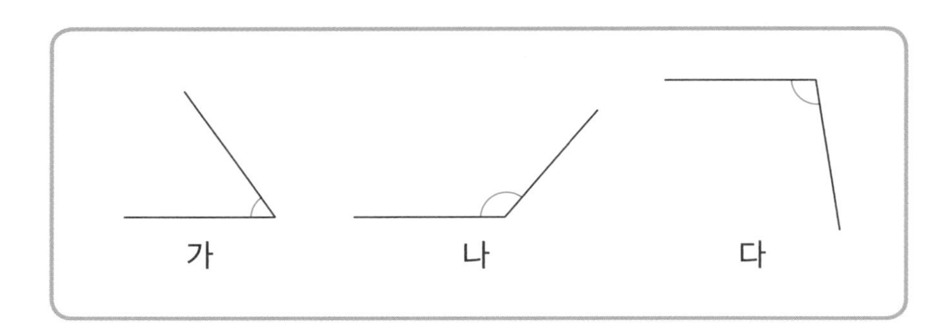

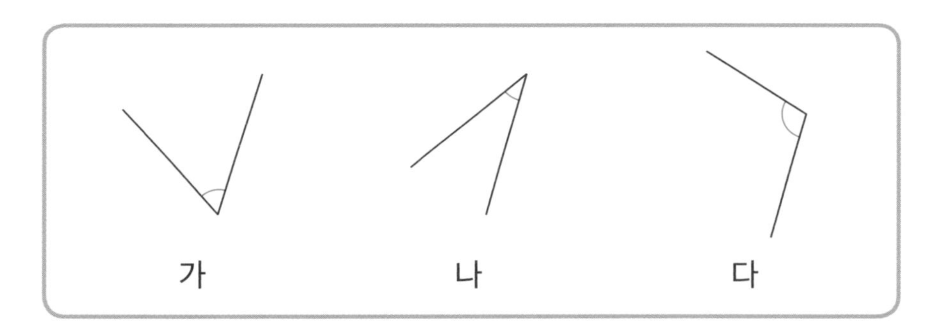

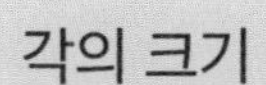

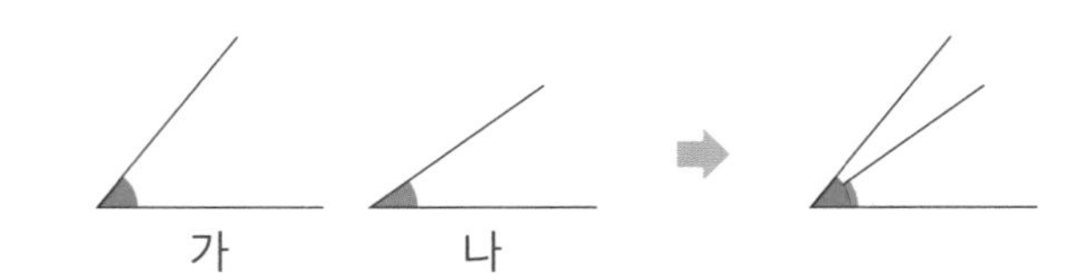

가의 각은 **나**의 각보다 더 큽니다.
나의 각은 **가**의 각보다 더 작습니다.

11 왼쪽 각보다 더 큰 각과 더 작은 각을 모두 찾아 기호를 써 보세요.

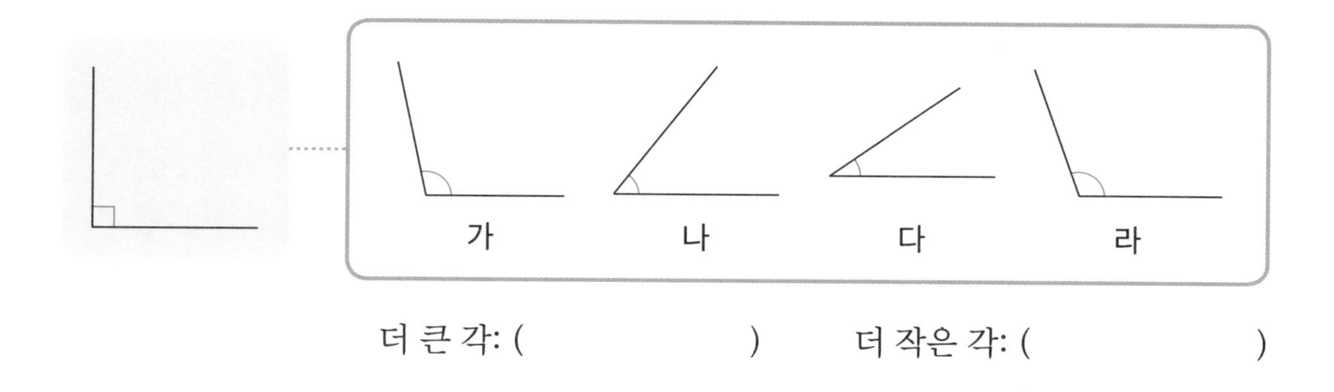

더 큰 각: (　　　　　　　)　더 작은 각: (　　　　　　　)

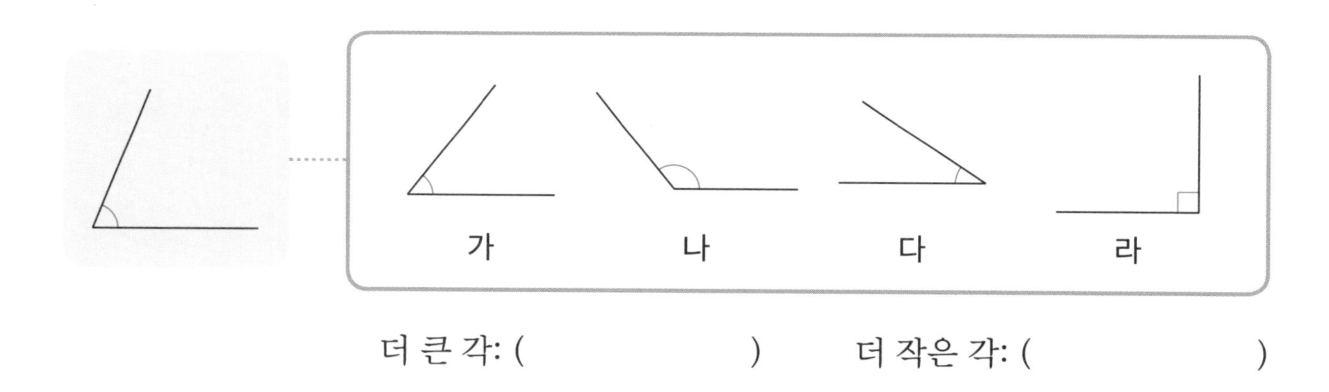

더 큰 각: (　　　　　　　)　더 작은 각: (　　　　　　　)

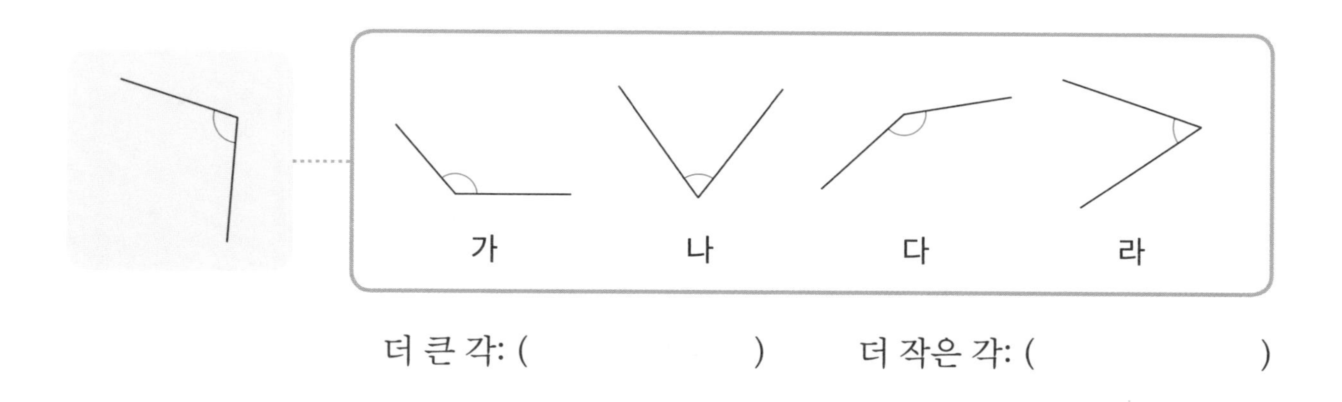

더 큰 각: (　　　　　　　)　더 작은 각: (　　　　　　　)

02일 각도 재기

각도를 읽어 보세요.

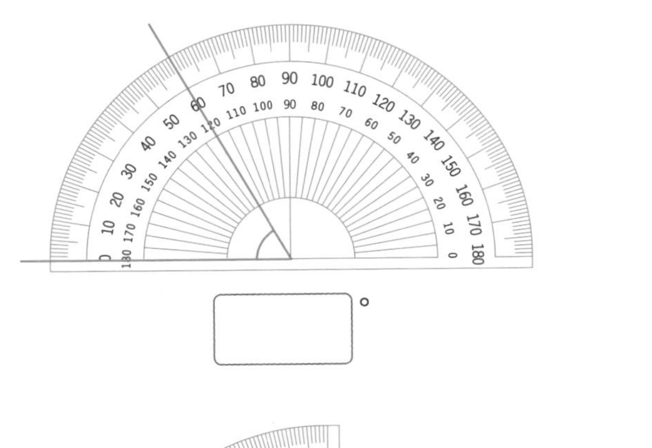

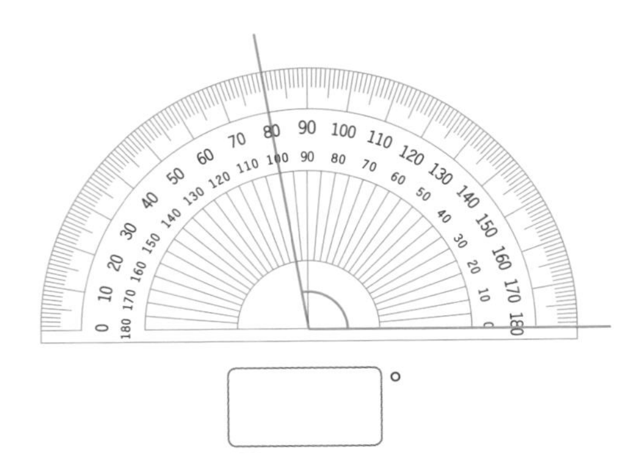

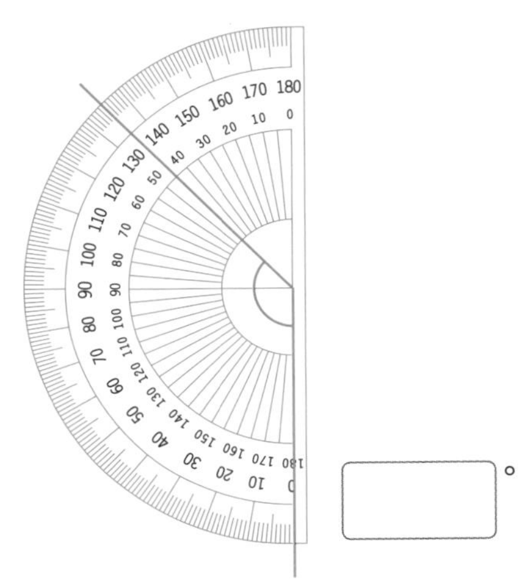

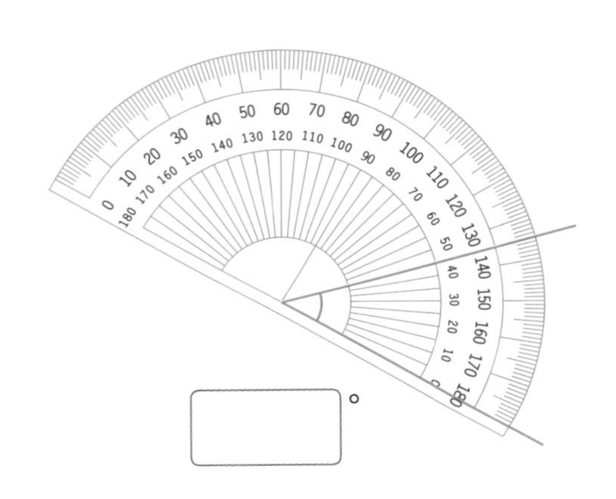

각도기로 각도 재기

각의 크기를 각도라고 합니다. 직각을 똑같이 90으로 나눈 것 중의 하나를 1도라고 하고, 1°라고 씁니다.

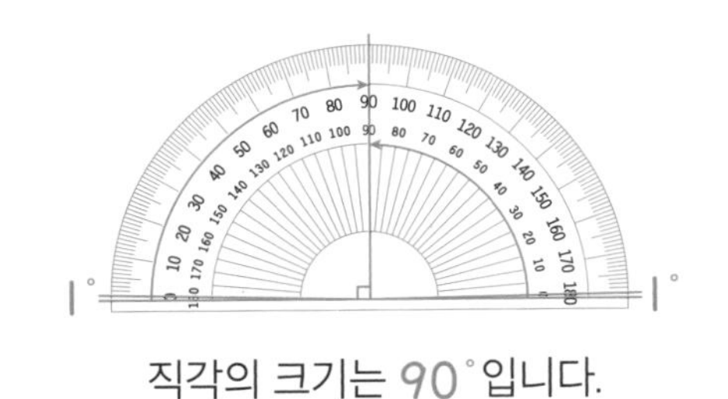

직각의 크기는 90°입니다.

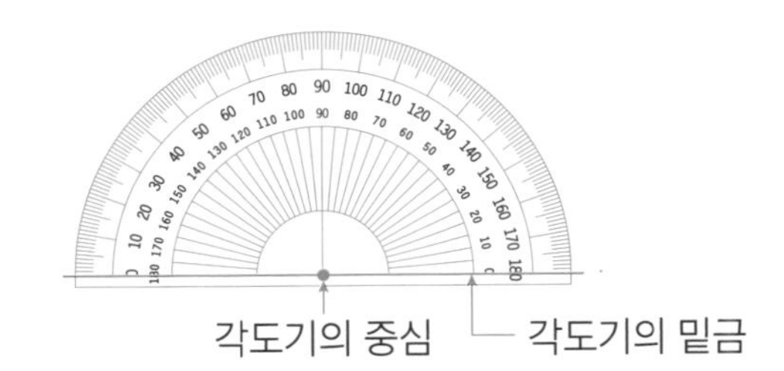

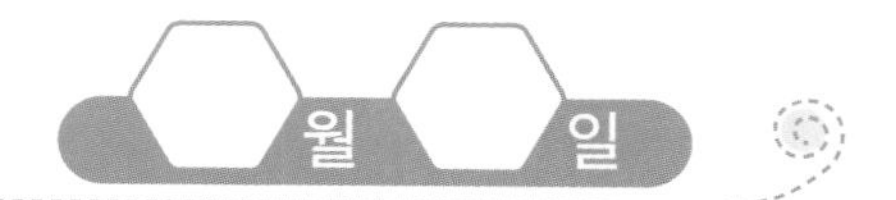

각도기를 이용하여 각도를 재어 보세요.

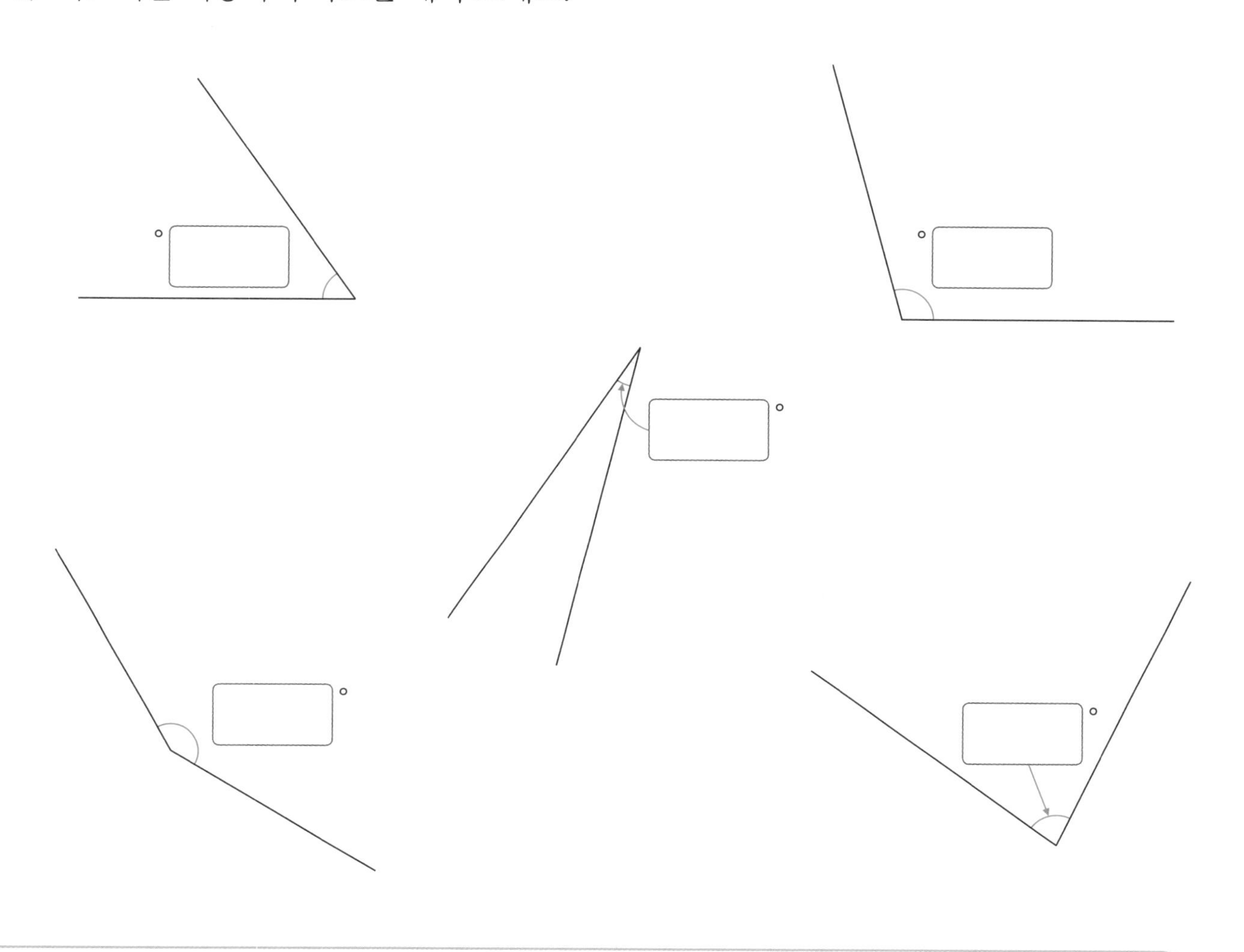

각도를 잴 때는 각도기를 이용합니다.

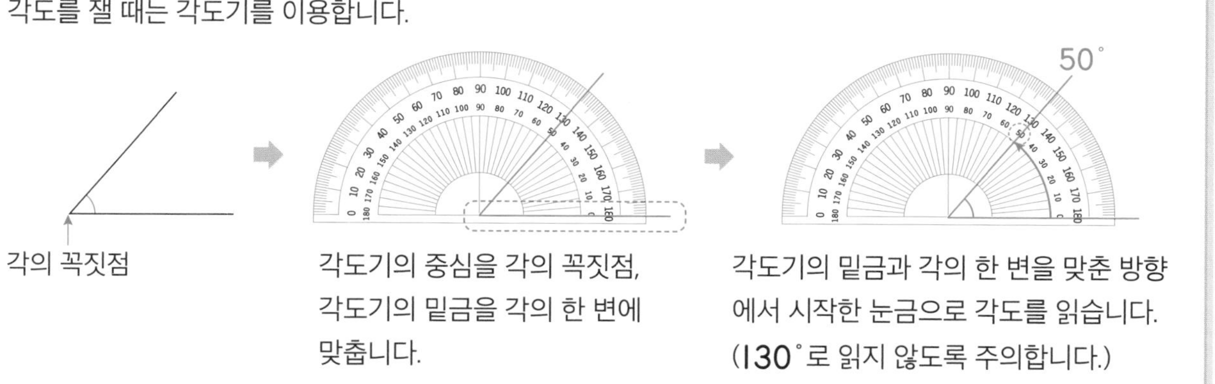

각의 꼭짓점

각도기의 중심을 각의 꼭짓점, 각도기의 밑금을 각의 한 변에 맞춥니다.

각도기의 밑금과 각의 한 변을 맞춘 방향에서 시작한 눈금으로 각도를 읽습니다. (130°로 읽지 않도록 주의합니다.)

03일 각도 어림하기

11 각도를 어림하여 빈칸에 써넣은 다음, 각도기로 재어 확인해 보세요.

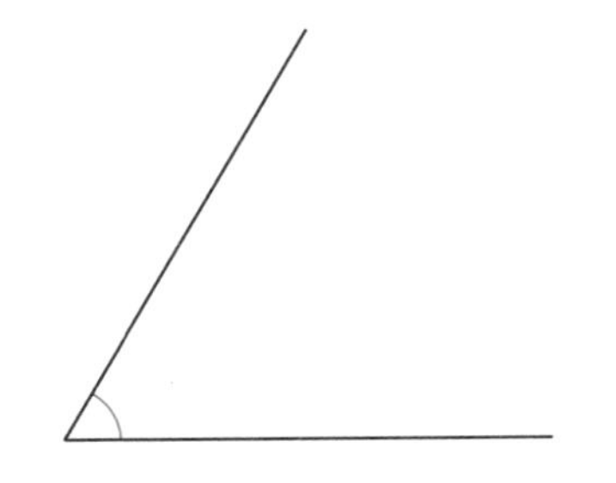

어림한 각도: 약 $\square$°

잰 각도: $\square$°

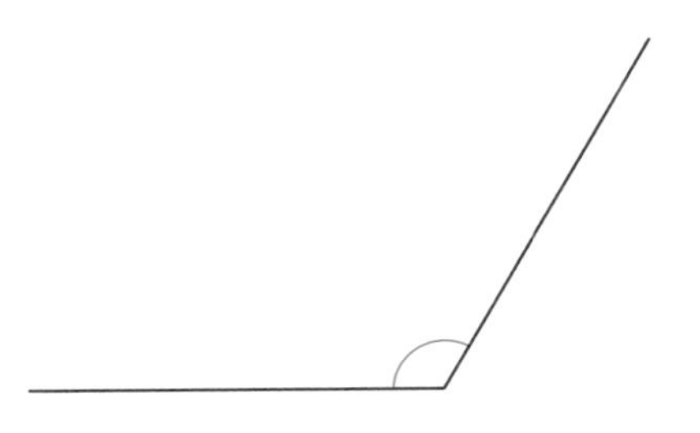

어림한 각도: 약 $\square$°

잰 각도: $\square$°

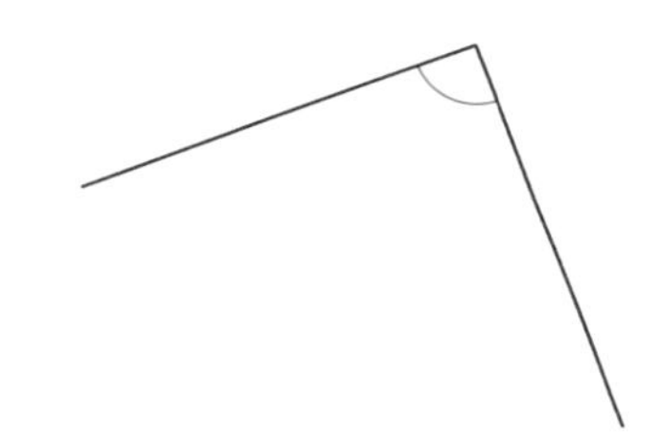

어림한 각도: 약 $\square$°

잰 각도: $\square$°

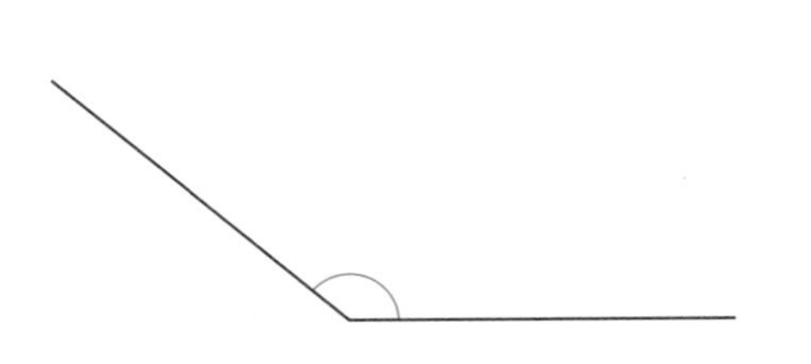

어림한 각도: 약 $\square$°

잰 각도: $\square$°

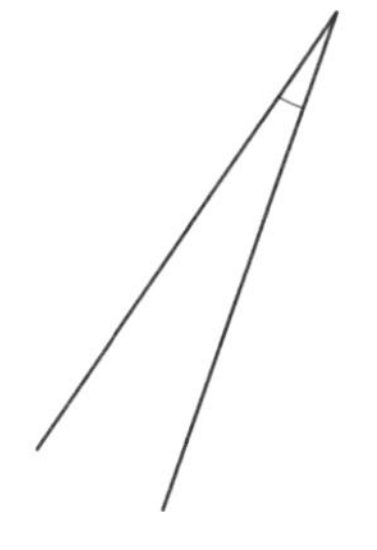

어림한 각도: 약 $\square$°

잰 각도: $\square$°

각도기로 재어 보고 더 가깝게 어림한 것에 ◯표 하세요.

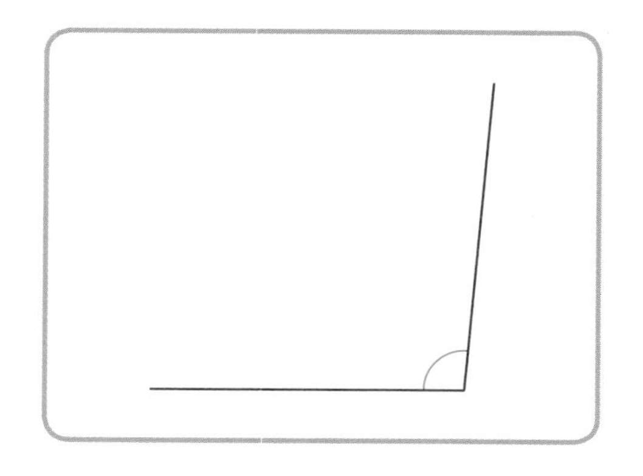

약 85° ( )　　약 100° ( )

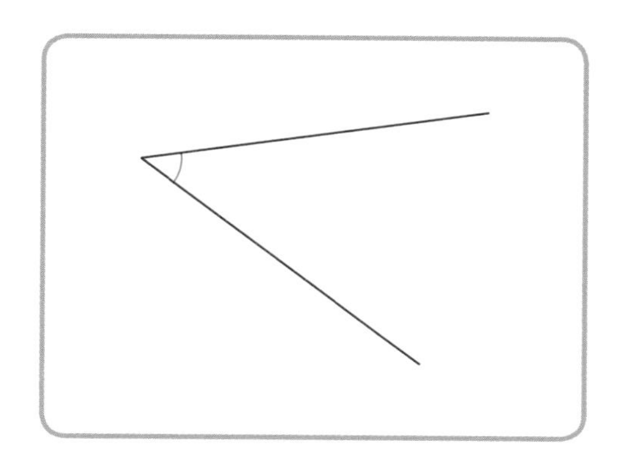

약 50° ( )　　약 60° ( )

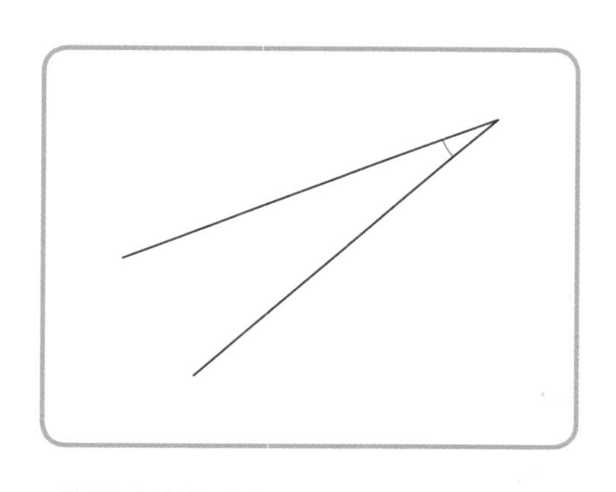

약 15° ( )　　약 30° ( )

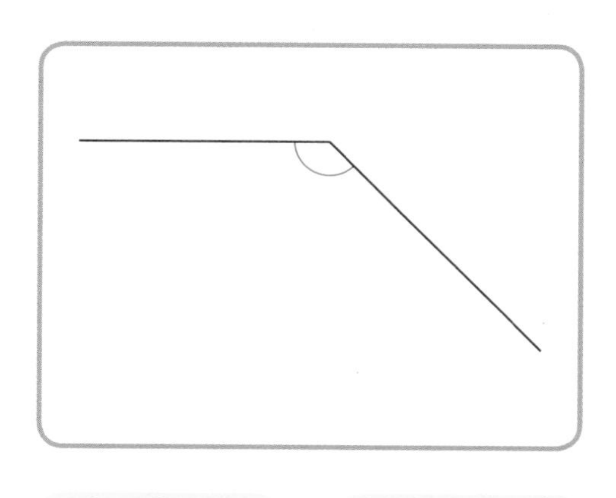

약 150° ( )　　약 140° ( )

04일 예각과 둔각 (1)

11 각을 보고 예각, 둔각 중 어느 것인지 빈칸에 써넣으세요.

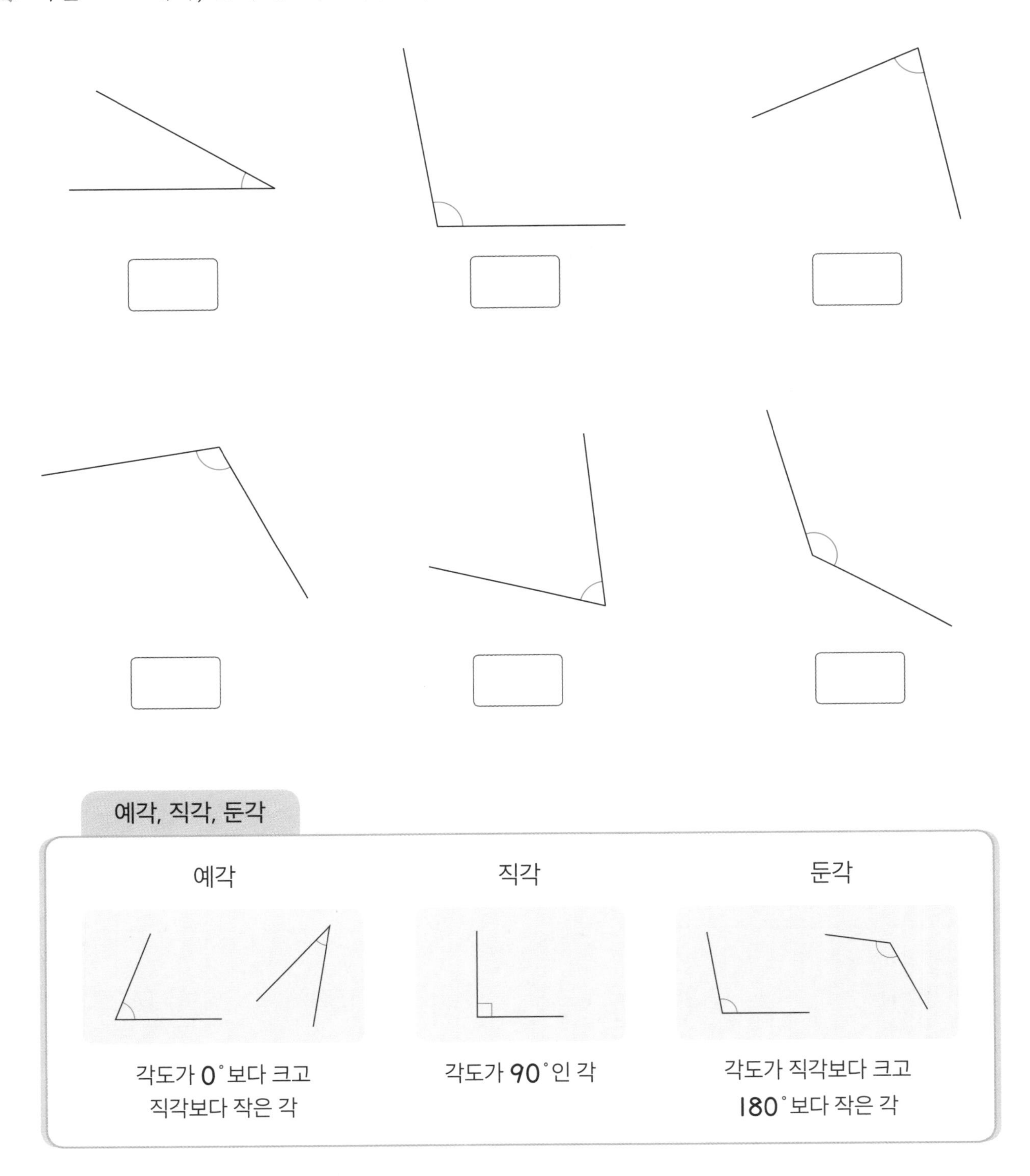

예각, 직각, 둔각
예각
직각
둔각
각도가 0°보다 크고
직각보다 작은 각
각도가 90°인 각
각도가 직각보다 크고
180°보다 작은 각

주어진 각을 예각, 직각, 둔각으로 분류하여 기호를 써 보세요.

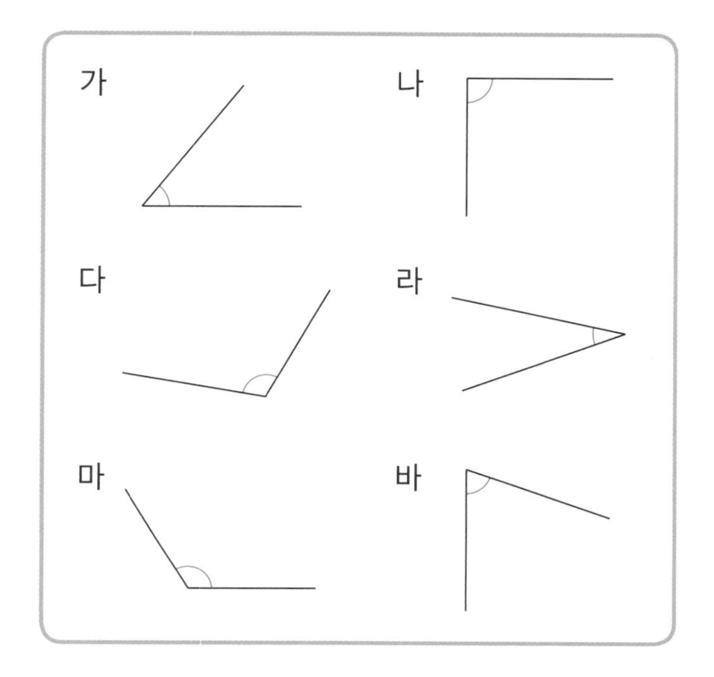

예각	
직각	
둔각	

가
나
다
라
마
바

예각	
직각	
둔각	

05일 예각과 둔각 (2)

예각과 둔각을 완성해 보세요.

예각

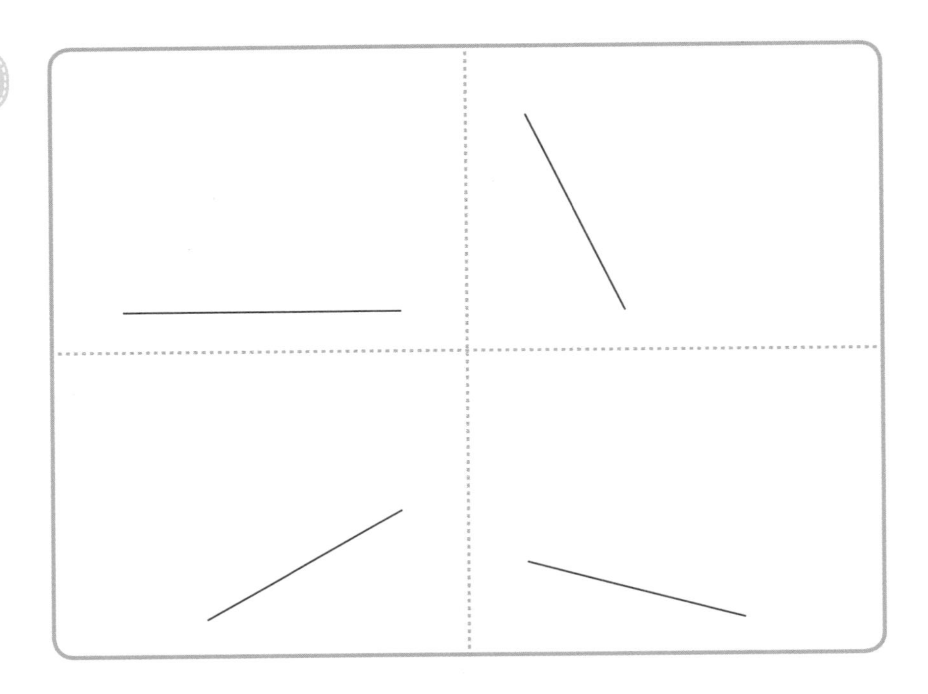

둔각

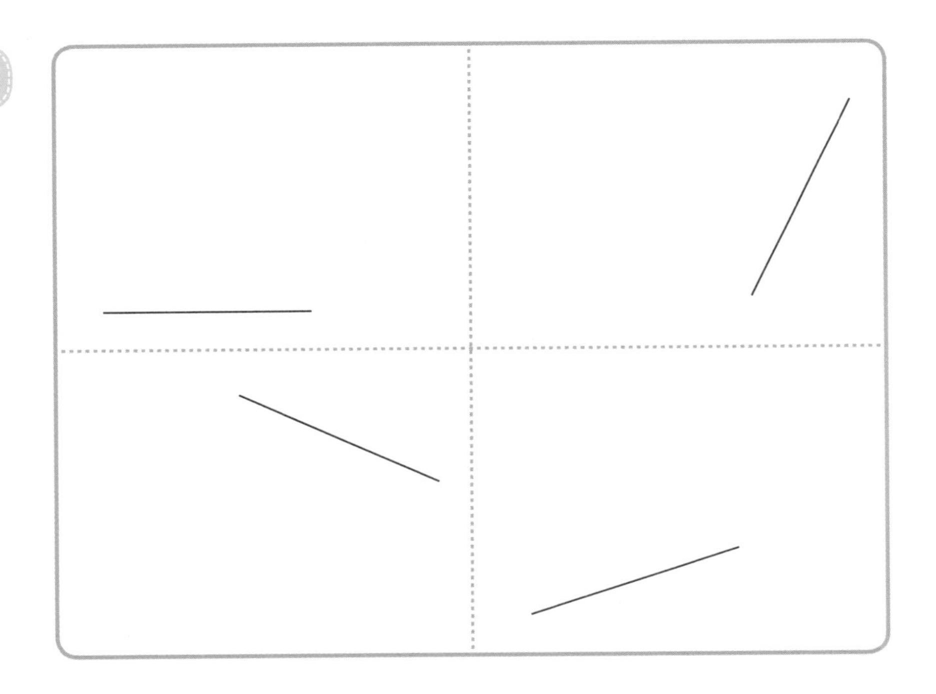

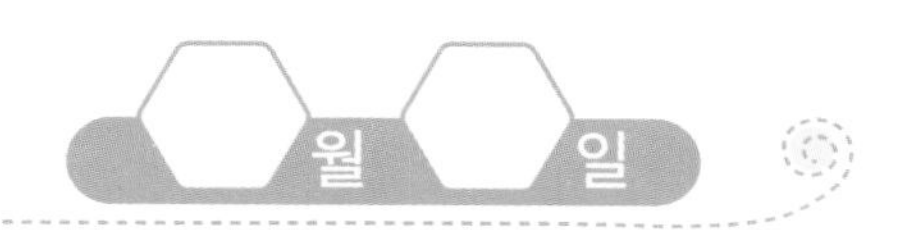

예각은 ○표, 직각은 □표, 둔각은 △표 하세요.

40°	(　　)	100°	(　　)	65°	(　　)
90°	(　　)	15°	(　　)	155°	(　　)
78°	(　　)	112°	(　　)	95°	(　　)
84°	(　　)	23°	(　　)	157°	(　　)
98°	(　　)	108°	(　　)	63°	(　　)

시각에 맞게 시곗바늘을 그리고, 시계의 두 바늘이 이루는 작은 쪽의 각이 예각, 직각, 둔각 중 어느 것인지 써넣으세요.

(　　　　　)

(　　　　　)

(　　　　　)

(　　　　　)

(　　　　　)

(　　　　　)

각도의 합

06일 각도의 합과 차

01 표시된 각도를 구해 보세요.

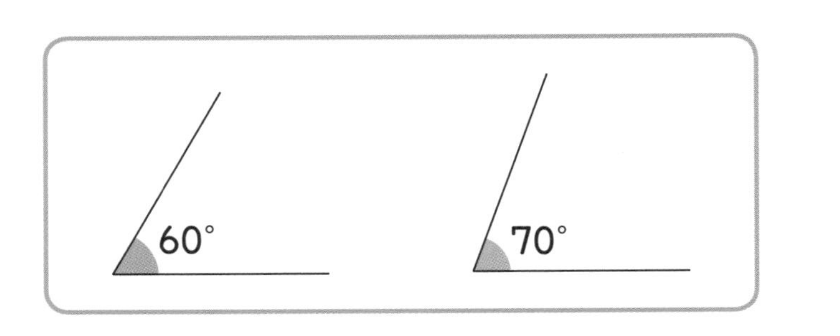

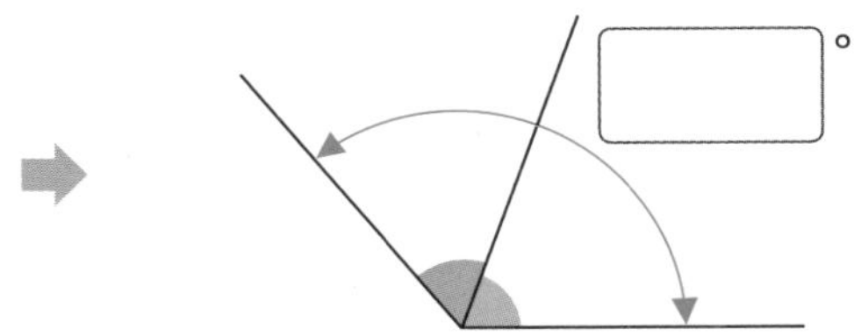

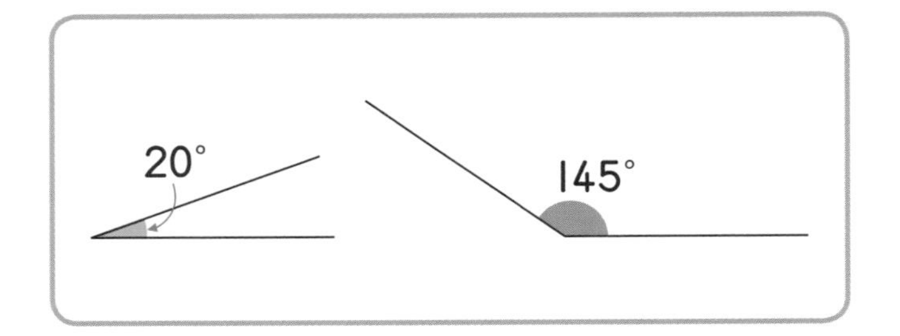

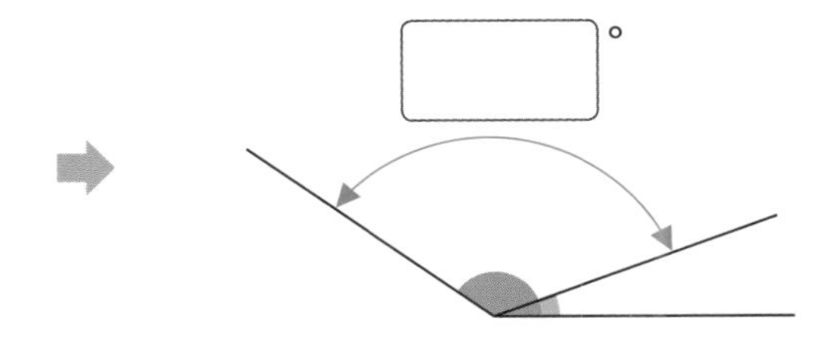

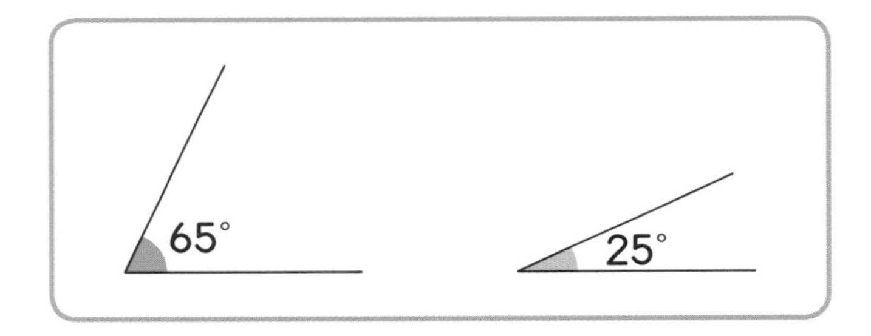

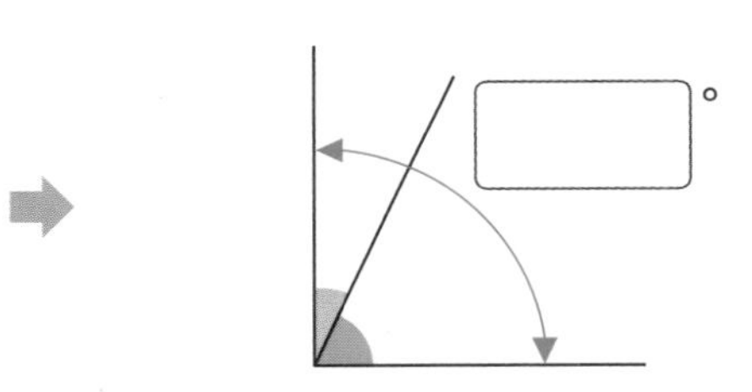

각도의 합과 차

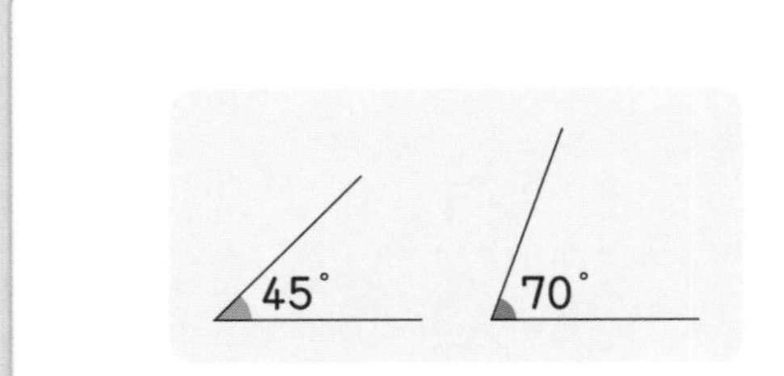

각도의 합

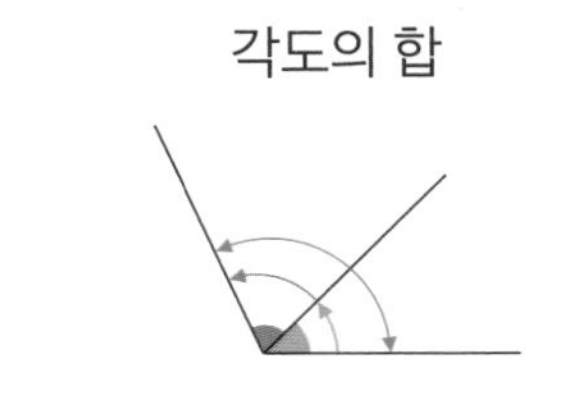

$45^\circ + 70^\circ = 115^\circ$

각도의 차

$70^\circ - 45^\circ = 25^\circ$

두 각도의 합과 차를 구해 보세요.

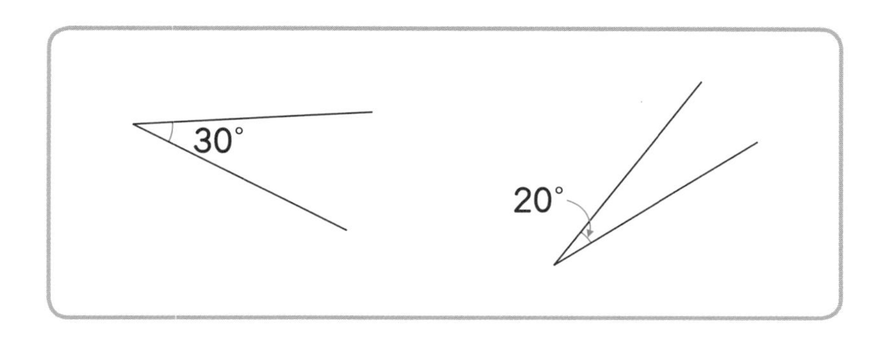

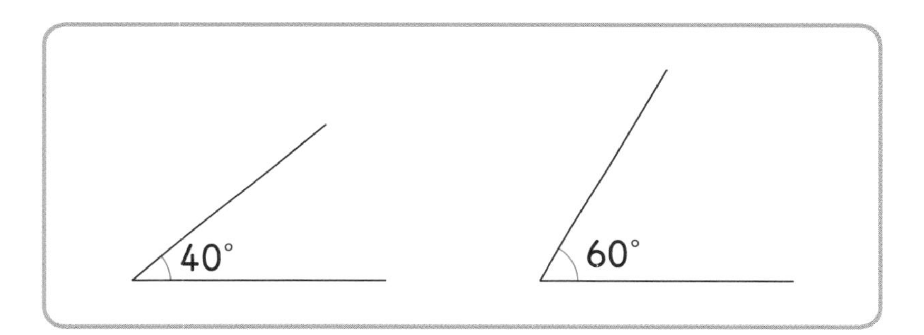

합: □°

차: □°

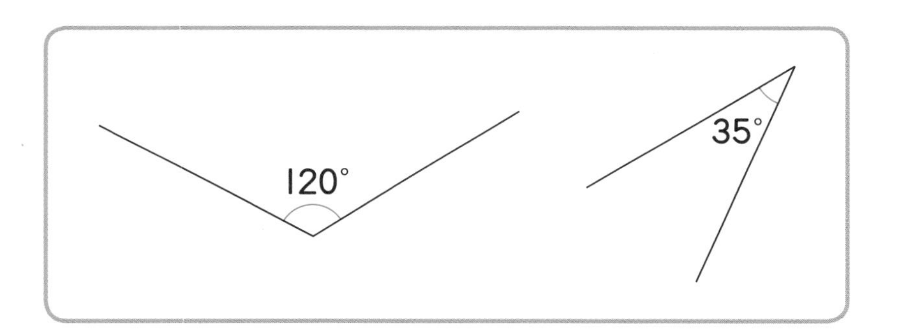

합: □°

차: □°

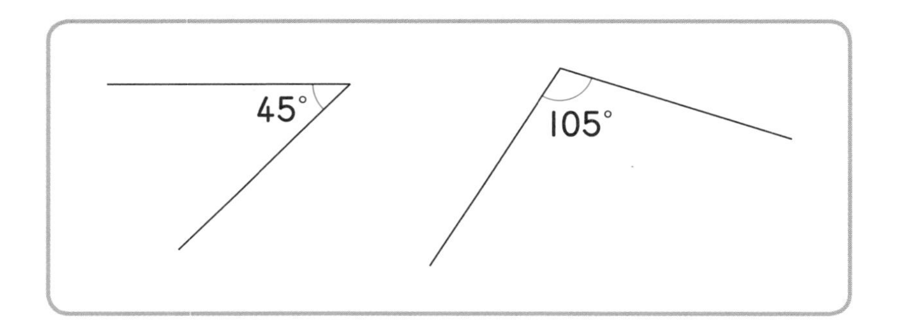

합: □°

차: □°

07일 삼각형 세 각의 합 (1)

11 삼각형을 잘라 세 꼭짓점이 한 점에 모이도록 겹치지 않게 이어 붙였습니다. ㉠의 각도를 구해 보세요.

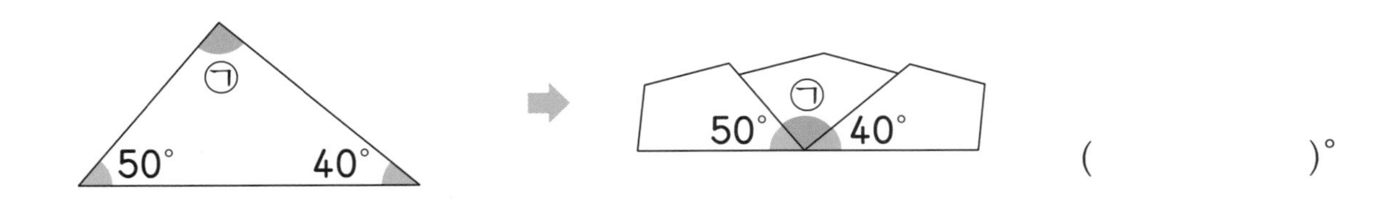

( )°

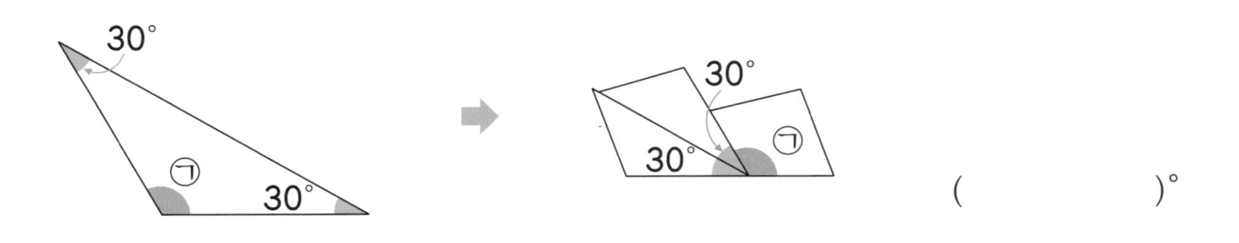

( )°

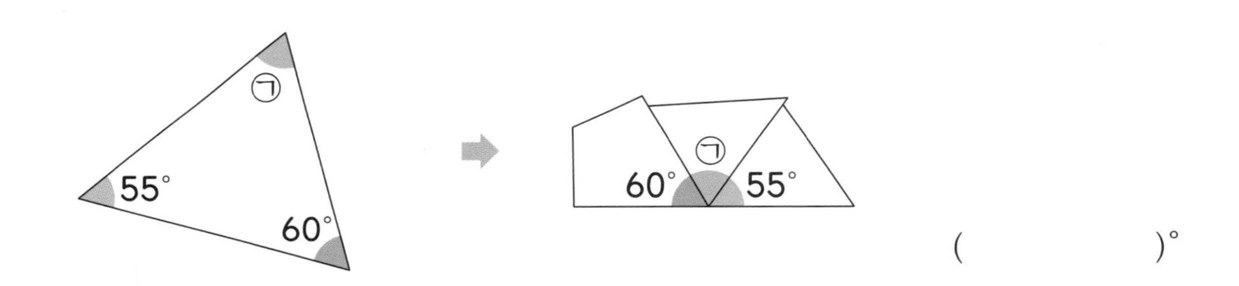

( )°

삼각형 세 각의 합

삼각형을 잘라 삼각형의 세 꼭짓점이 한 점에 모이도록 붙이면 삼각형의 세 각의 크기의 합은 한 직선이 이루는 각의 크기만큼 됩니다.

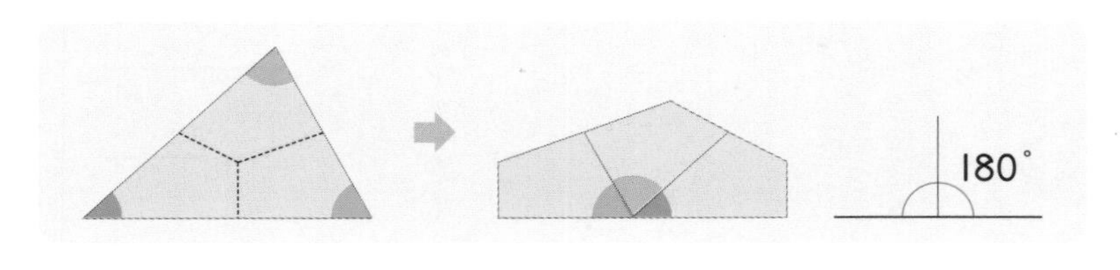

삼각형의 세 각의 크기의 합은 180°입니다.

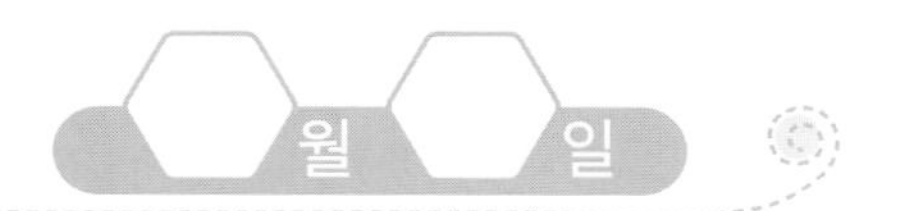

빈칸에 알맞은 수를 써넣으세요.

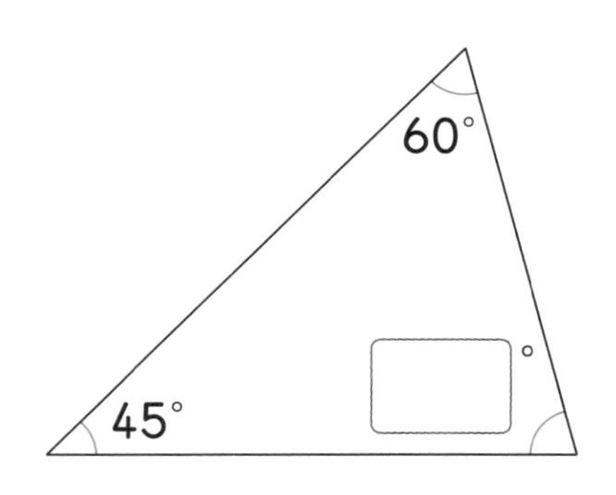

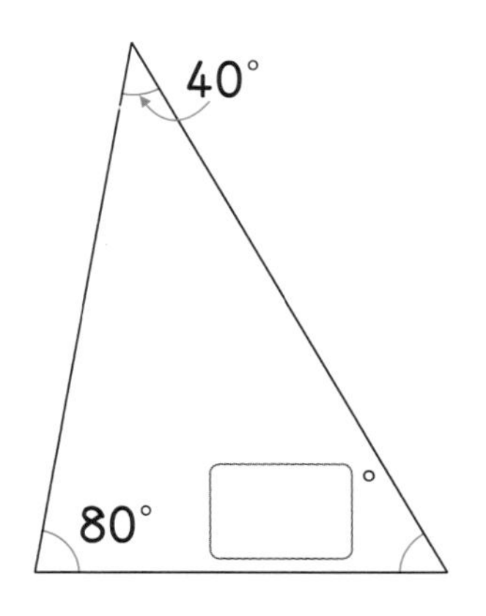

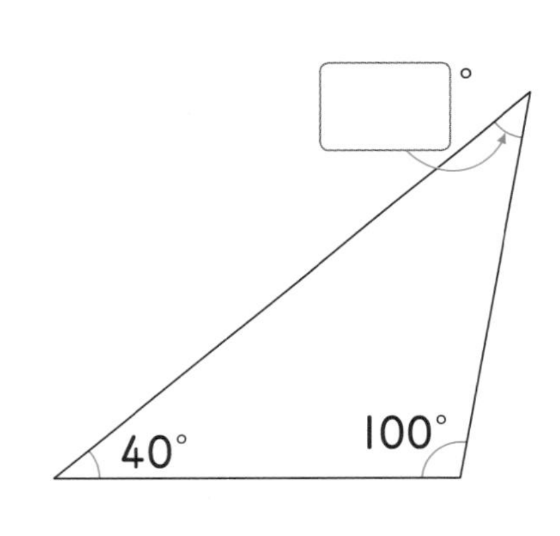

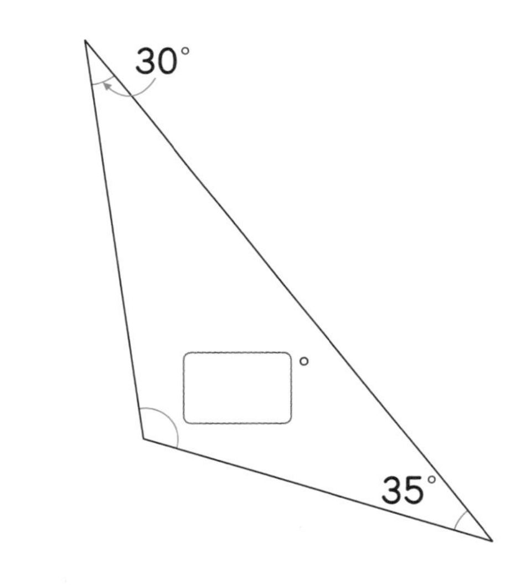

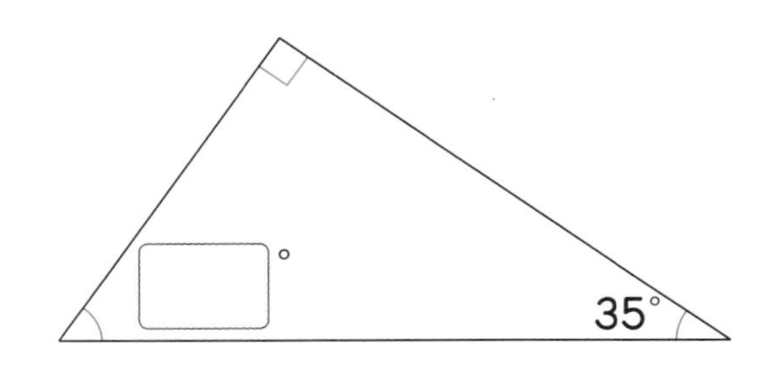

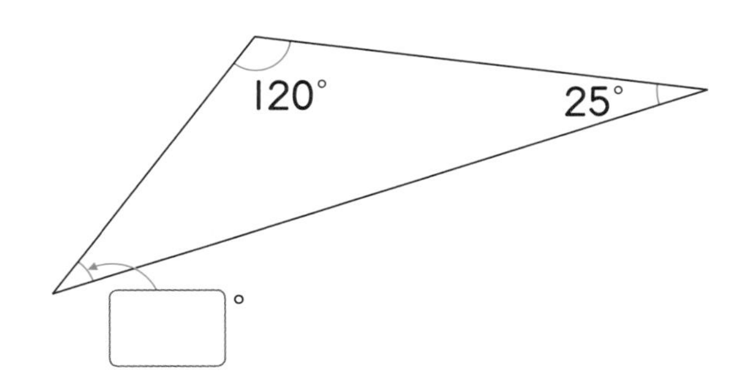

08일 삼각형 세 각의 합 (2)

빈칸에 알맞은 수를 써넣으세요.

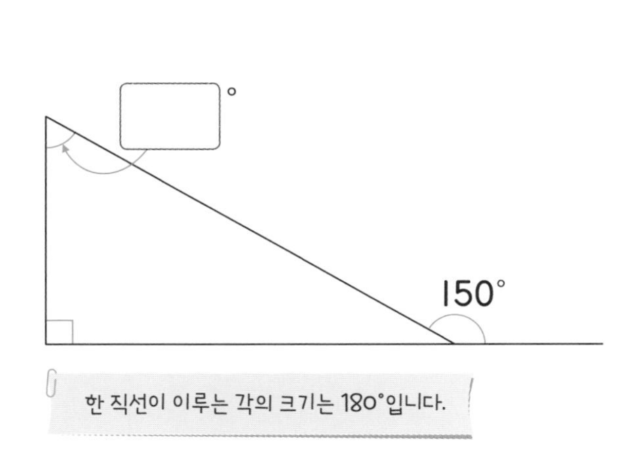

한 직선이 이루는 각의 크기는 180°입니다.

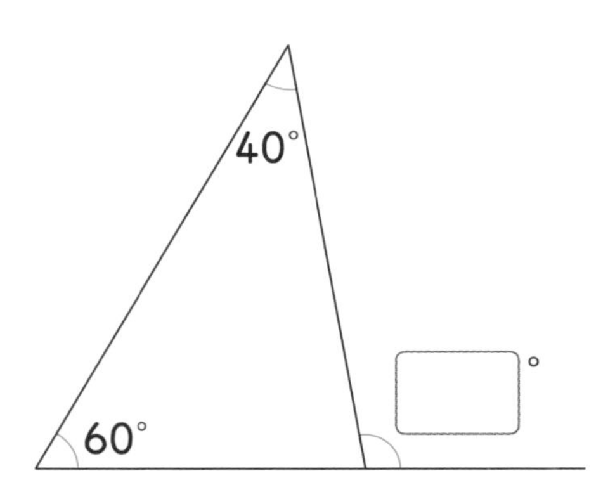

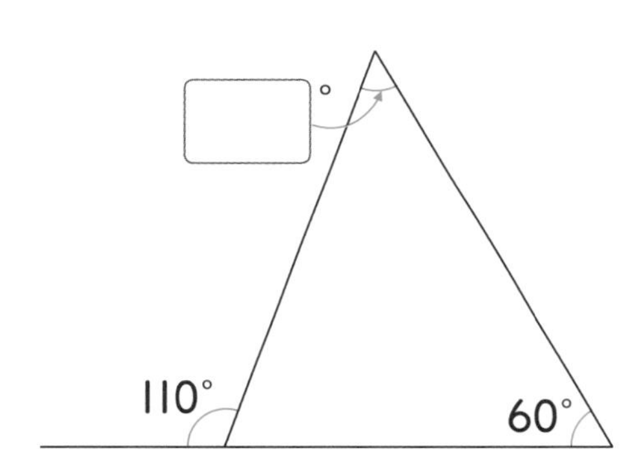

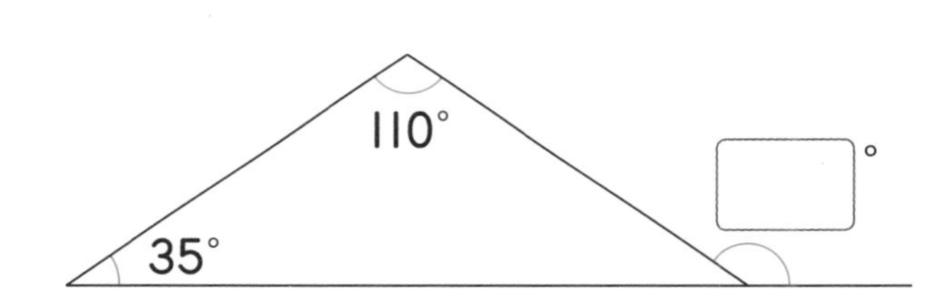

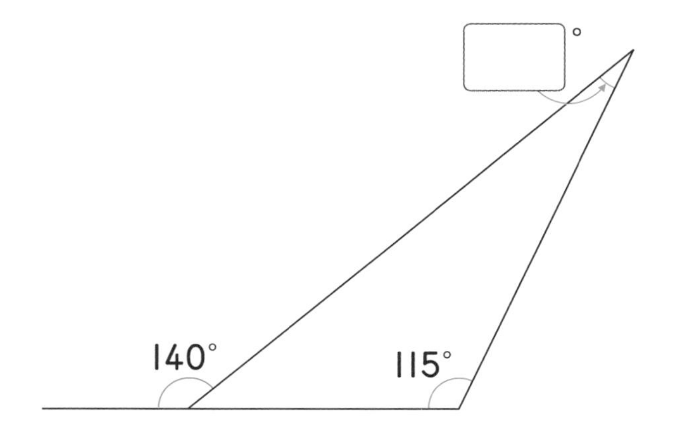

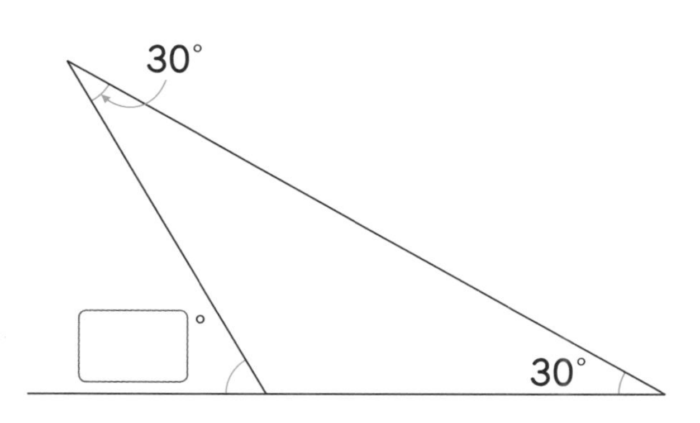

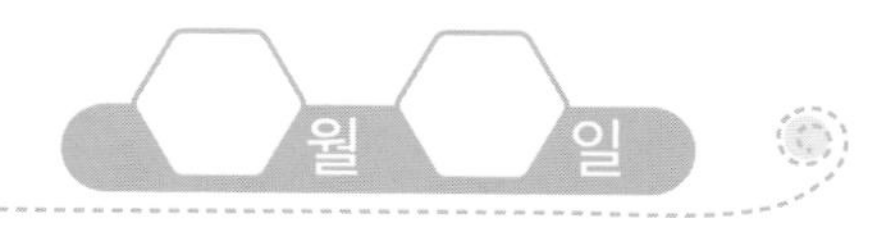

물음에 답하세요.

㉠과 ㉡의 각도의 합은 몇 도일까요?

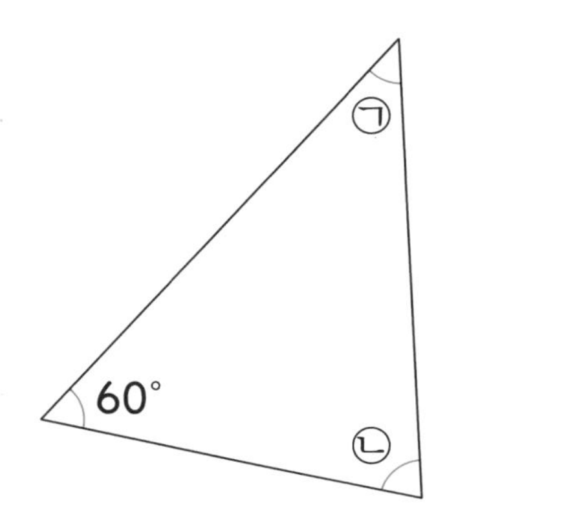

(　　　　　　)°

○로 표시된 각 3개의 크기가 같습니다. ㉠의 각도는 몇 도일까요?

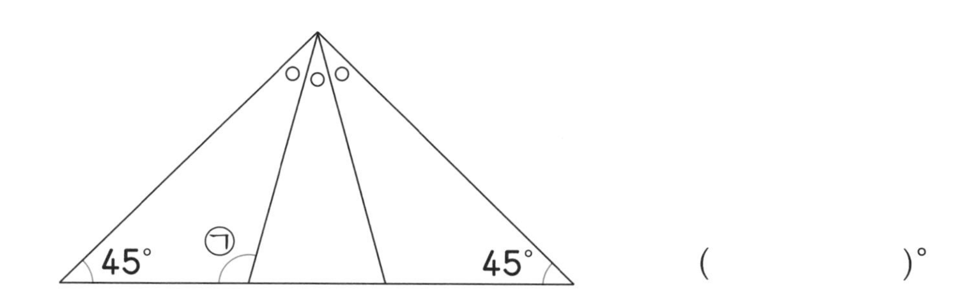

(　　　　　　)°

09일 사각형 네 각의 합 (1)

1 사각형을 잘라 네 꼭짓점이 한 점에 모이도록 겹치지 않게 이어 붙였습니다. ㉠의 각도를 구해 보세요.

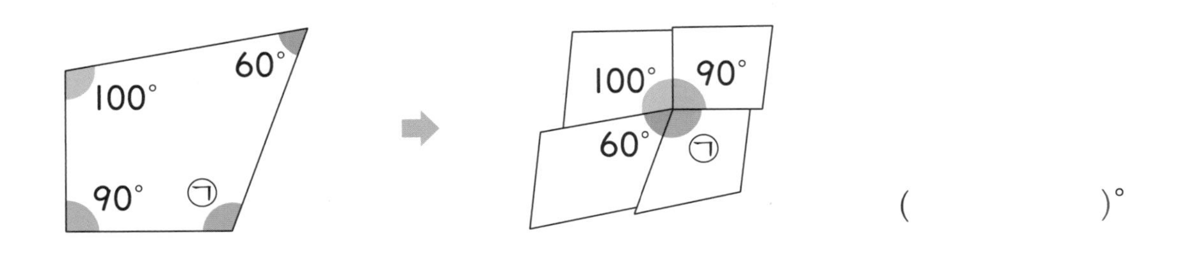

(　　　　)°

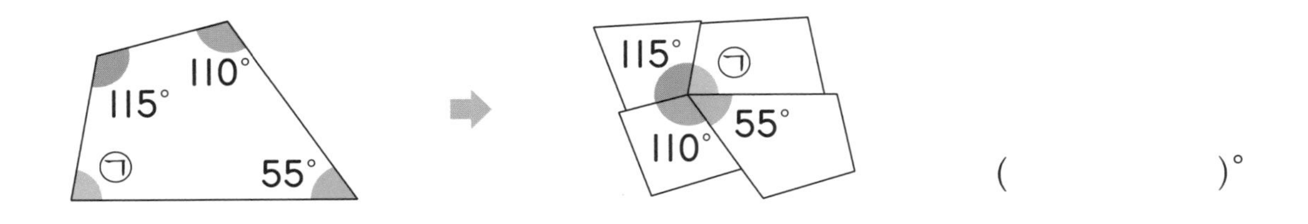

(　　　　)°

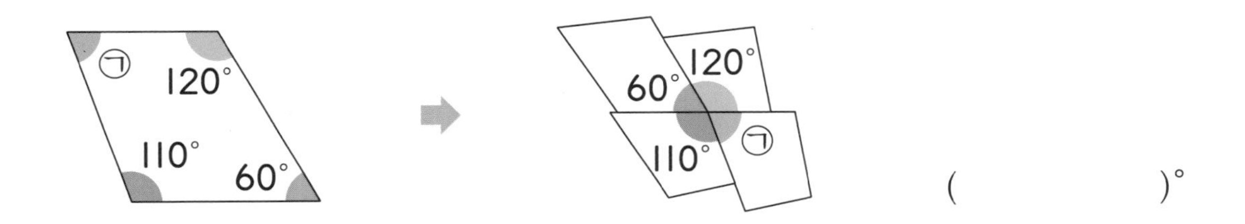

(　　　　)°

사각형 네 각의 합

사각형을 잘라 사각형의 네 꼭짓점이 한 점에 모이도록 붙이면 사각형의 네 각의 크기의 합은 한 바퀴가 이루는 각의 크기만큼 됩니다.

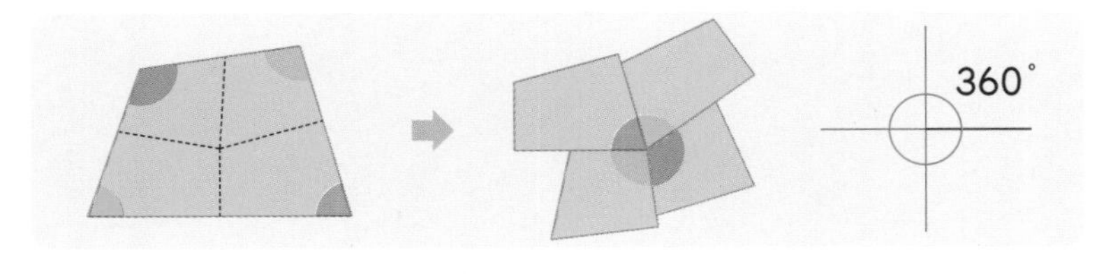

사각형의 네 각의 크기의 합은 360°입니다.

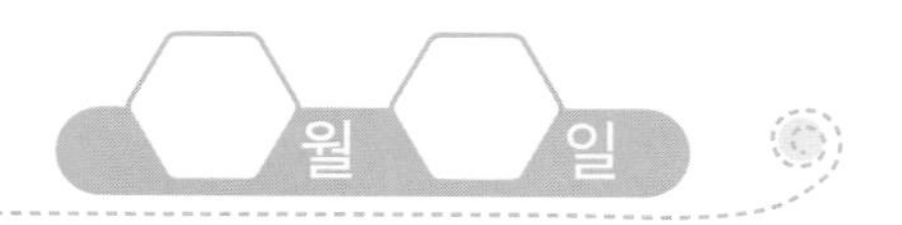

빈칸에 알맞은 수를 써넣으세요.

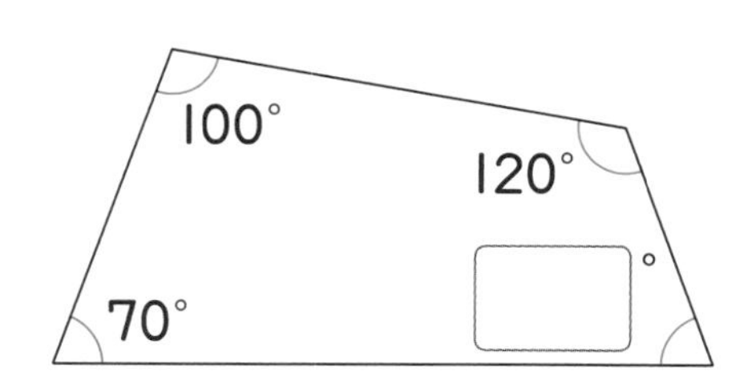

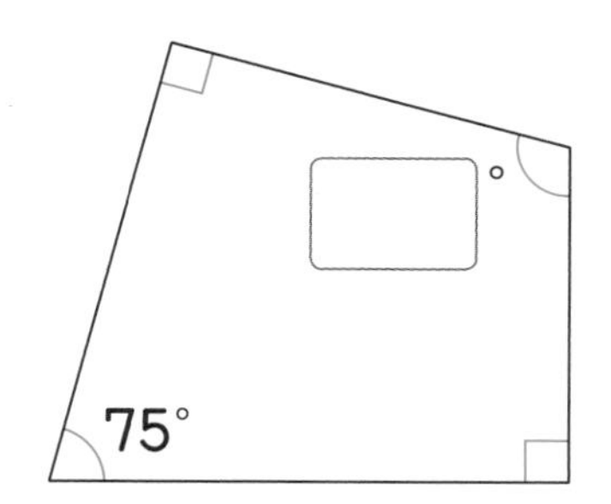

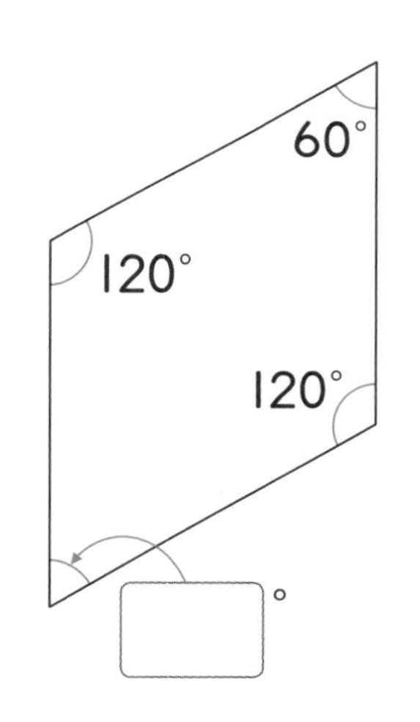

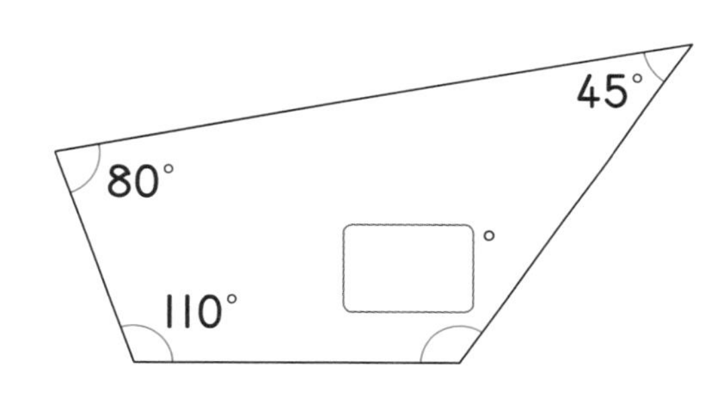

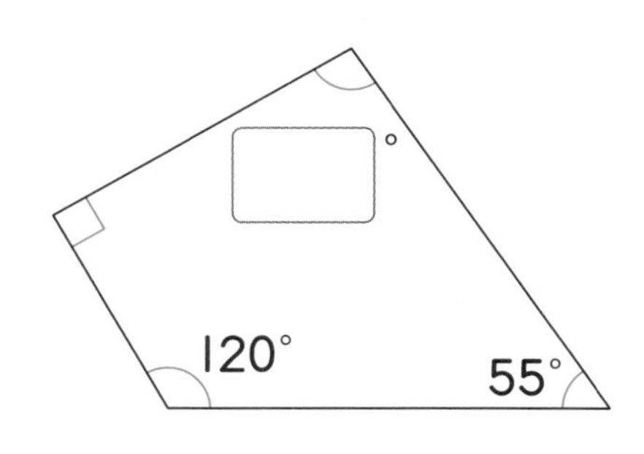

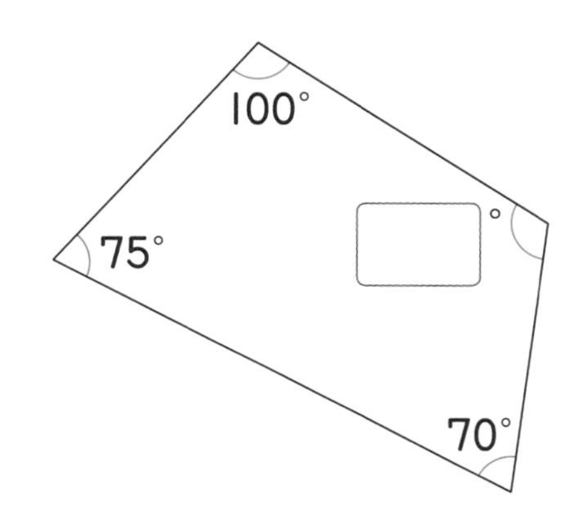

10일 사각형 네 각의 합 (2)

빈칸에 알맞은 수를 써넣으세요.

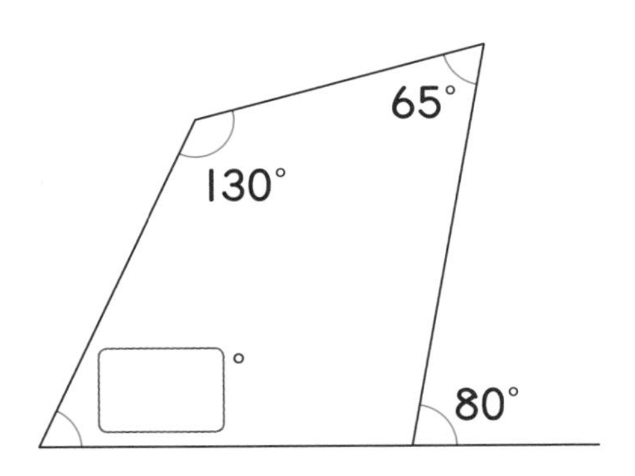

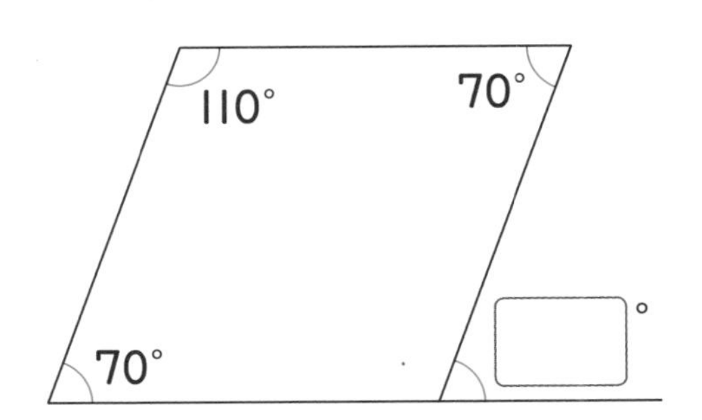

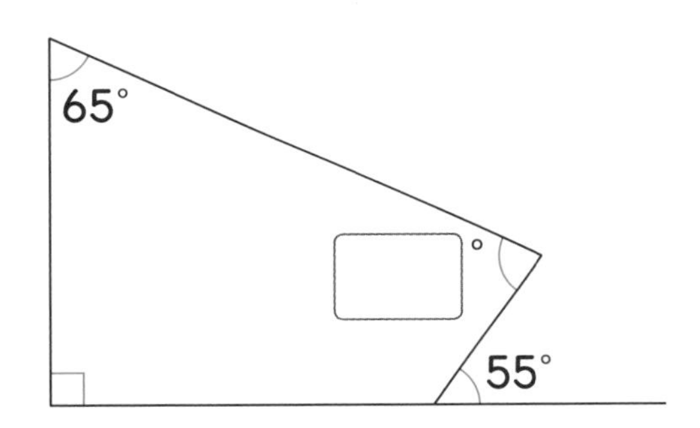

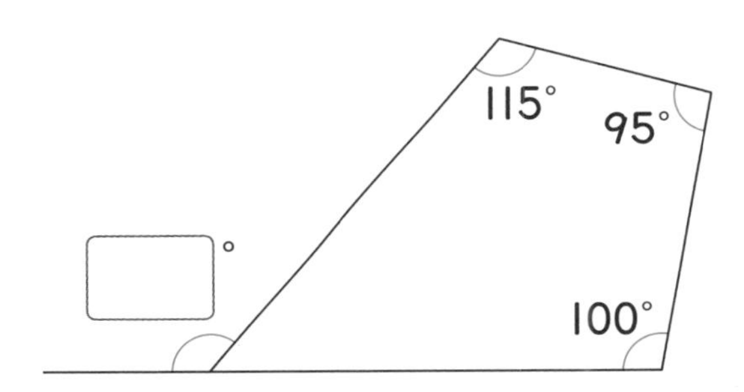

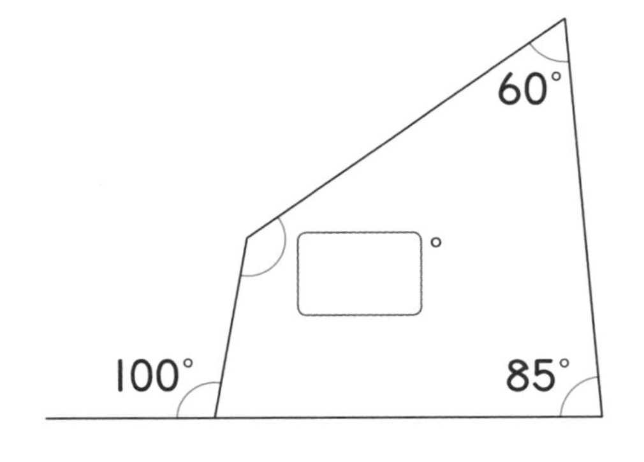

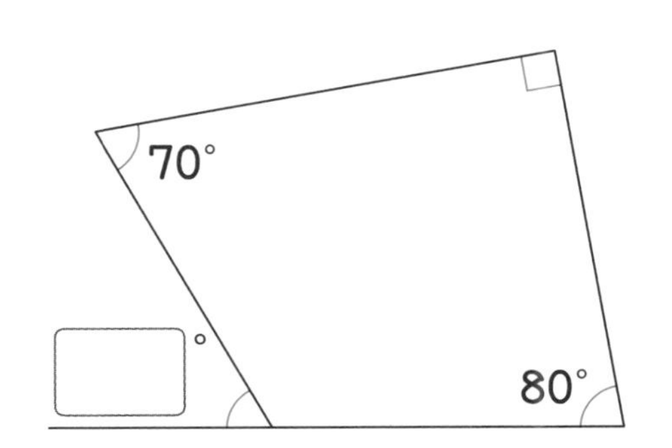

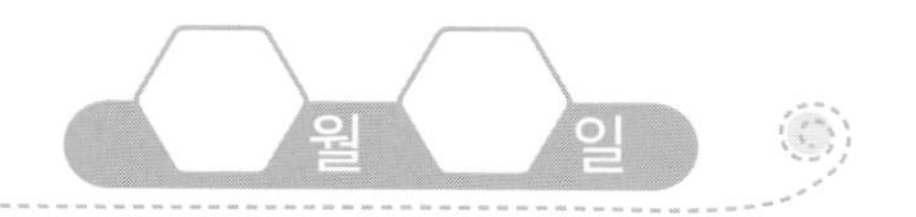

물음에 답하세요.

㉠과 ㉡의 각도의 합은 몇 도일까요?

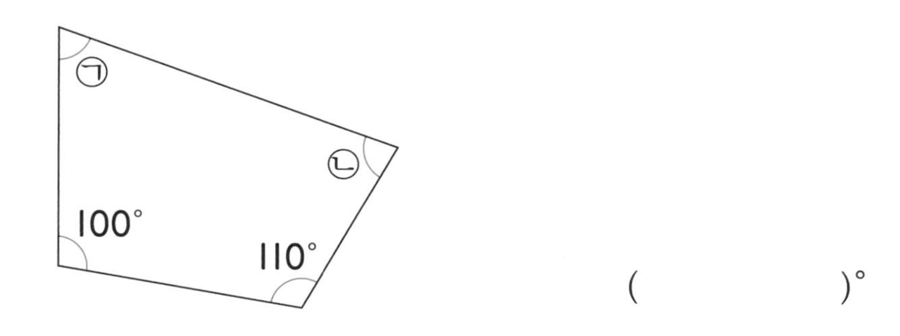

(　　　　　)°

삼각형 2개를 이어 붙여 사각형을 만들었습니다. ㉠의 각도는 몇 도일까요?

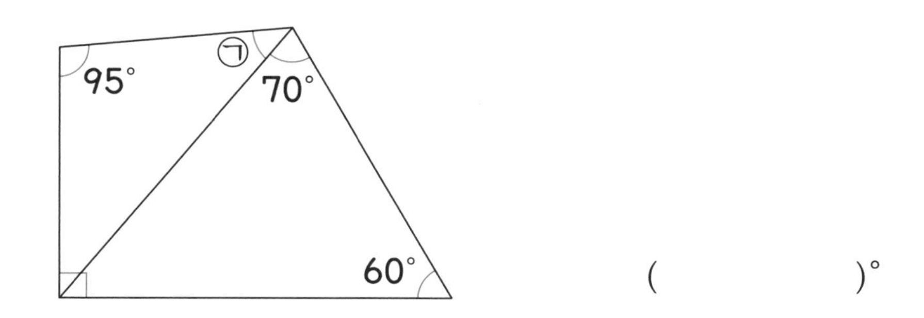

(　　　　　)°

물음에 답하세요.

삼각형 세 각의 크기를 잘못 잰 사람은 누구이고, 잘못 잰 이유를 써 보세요.

현우	서연
30°, 70°, 80°	35°, 80°, 75°

잘못 잰 사람 (   )

잘못 잰 이유

____

____

사각형 네 각의 크기를 잘못 잰 사람은 누구이고, 잘못 잰 이유를 써 보세요.

민아	준서
55°, 120°, 90°, 95°	110°, 60°, 85°, 95°

잘못 잰 사람 (   )

잘못 잰 이유

____

____

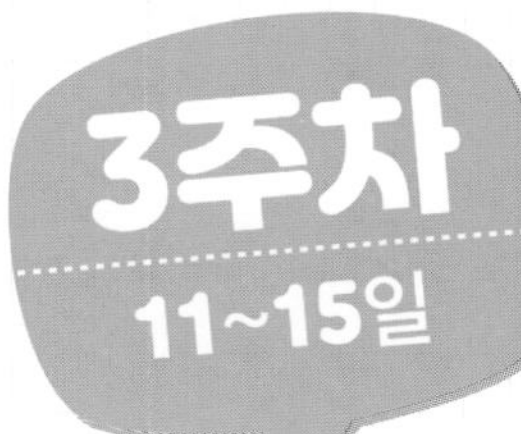

변의 길이와 삼각형

11일 이등변삼각형

이등변삼각형을 찾아 모두 ◯표 하세요.

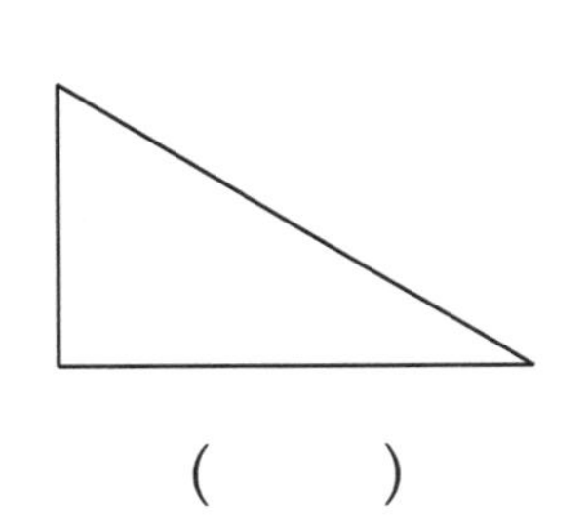

(　　)

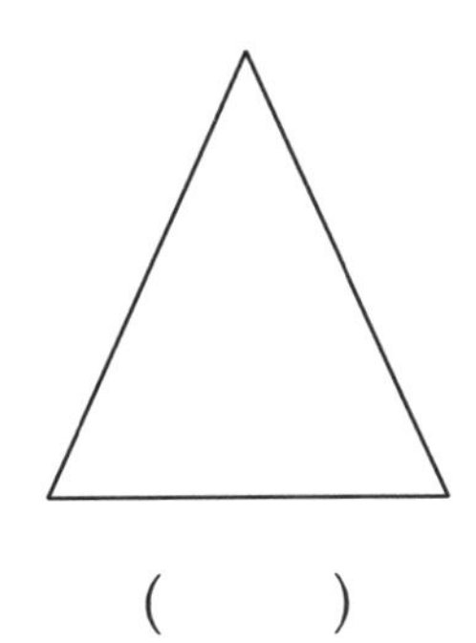

(　　)

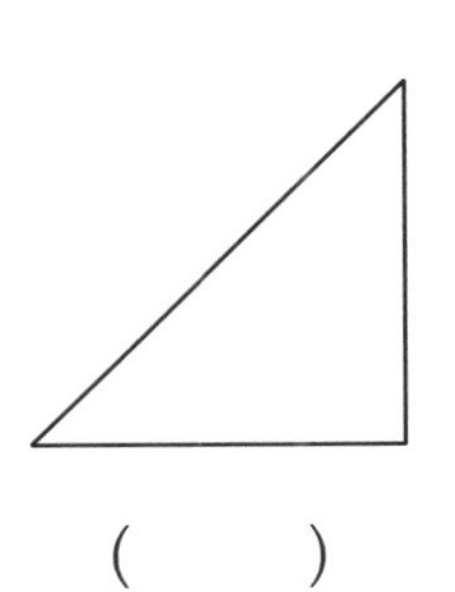

(　　)

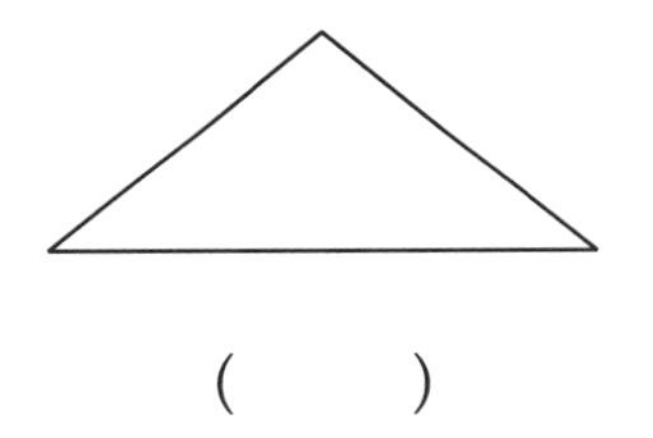

(　　)

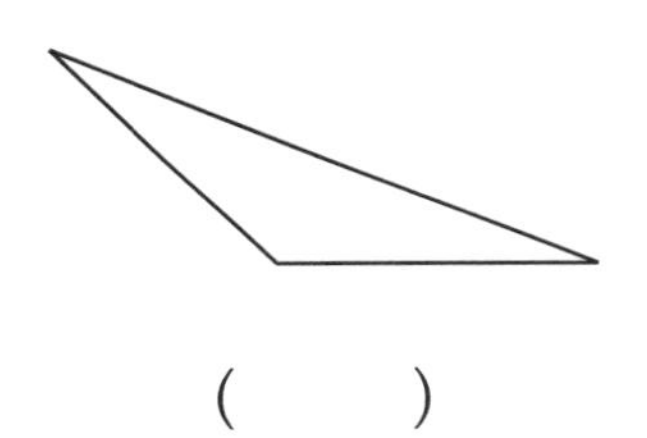

(　　)

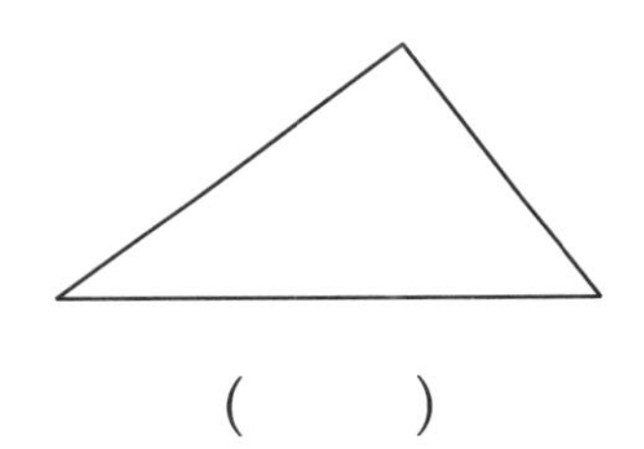

(　　)

이등변삼각형

두 변의 길이가 같은 삼각형을 이등변삼각형이라고 합니다.

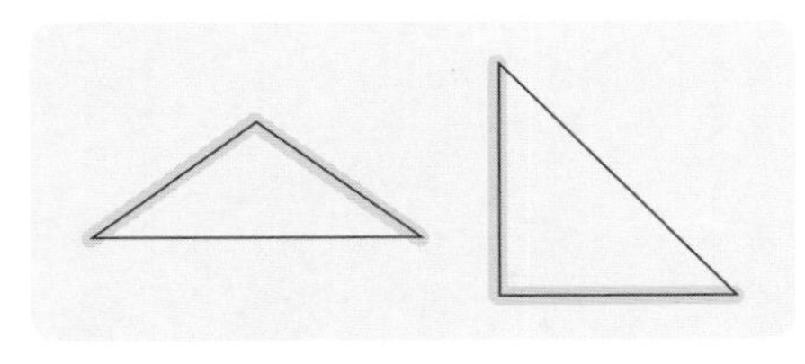

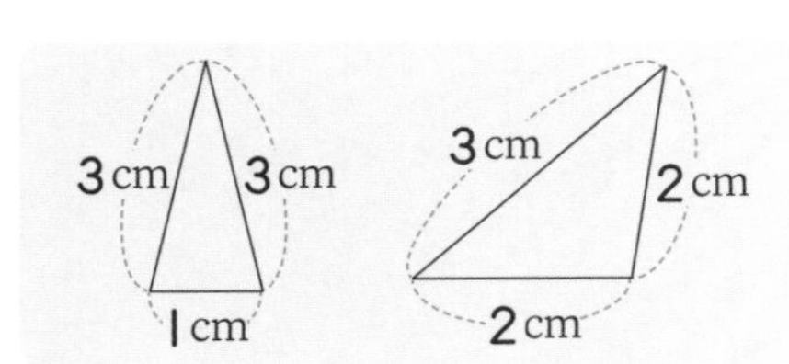

다음은 이등변삼각형입니다. 빈칸에 알맞은 수를 써넣으세요.

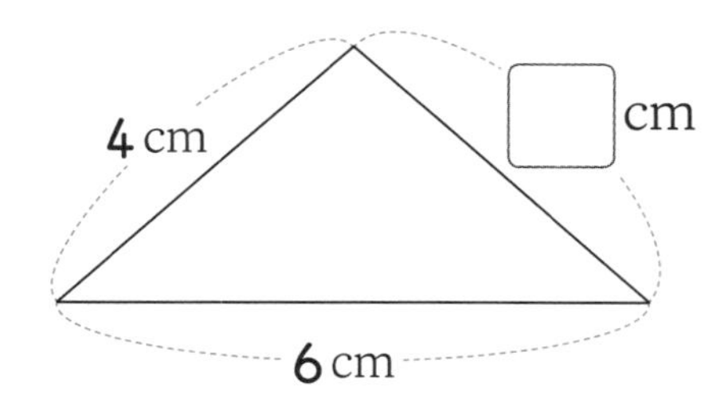

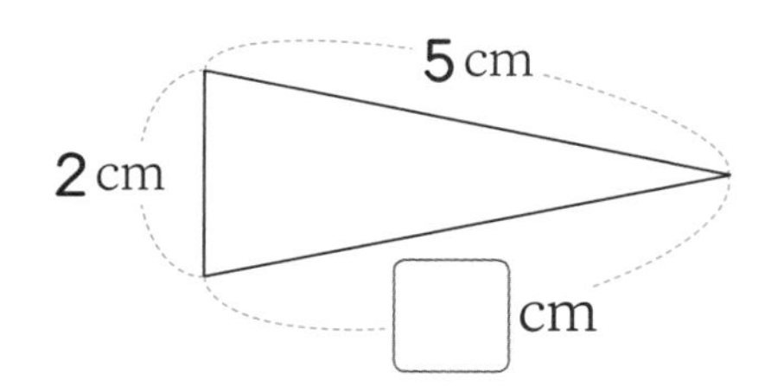

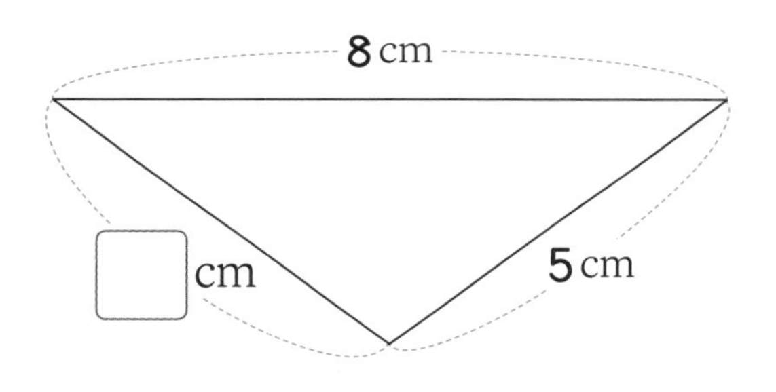

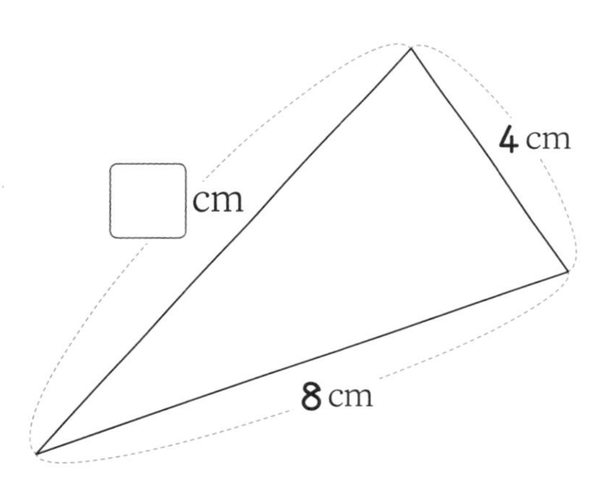

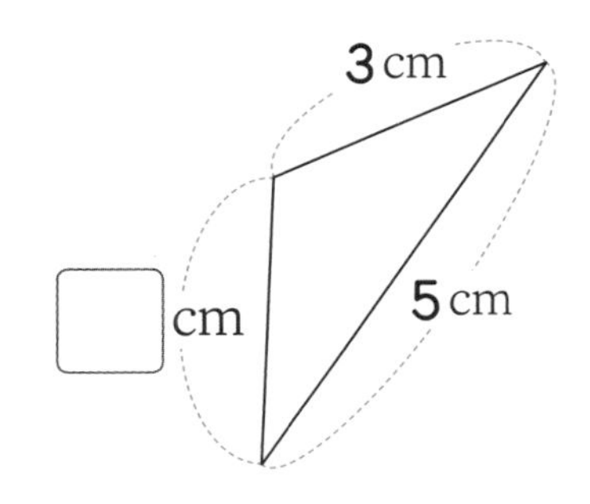

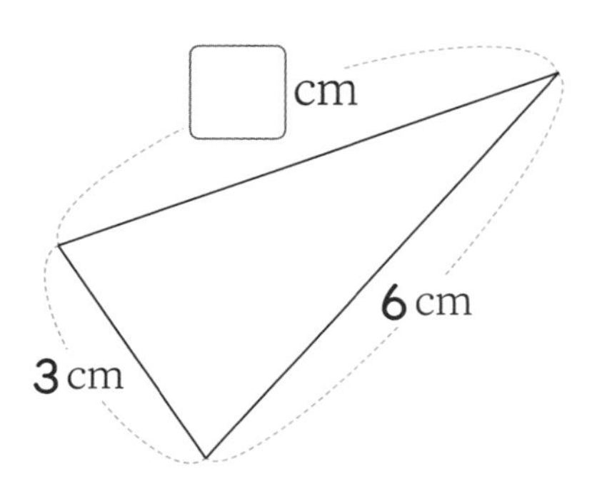

12일 이등변삼각형 그리기

점을 이어 주어진 선분을 한 변으로 하는 이등변삼각형을 그려 보세요.

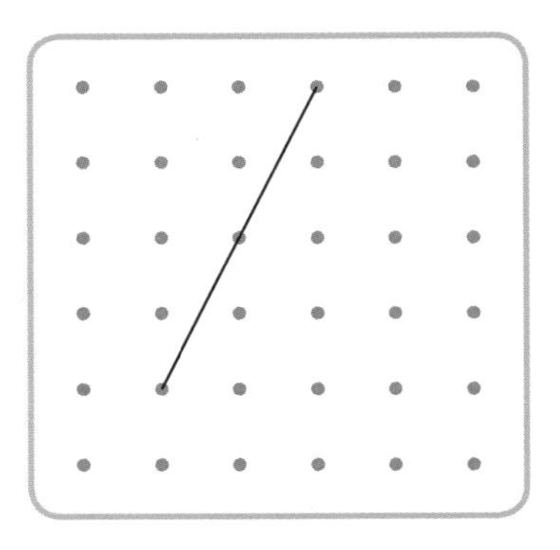
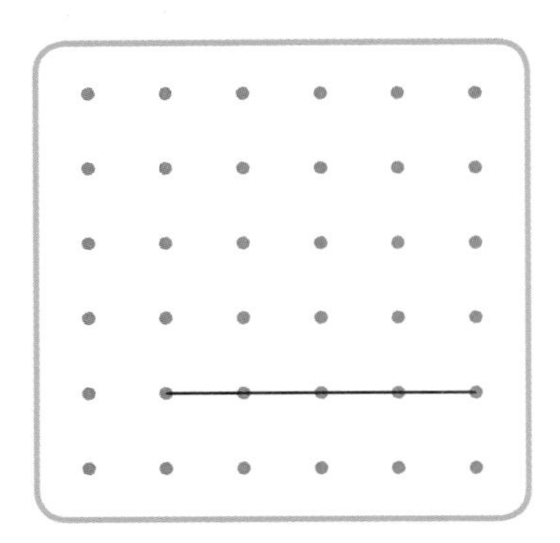
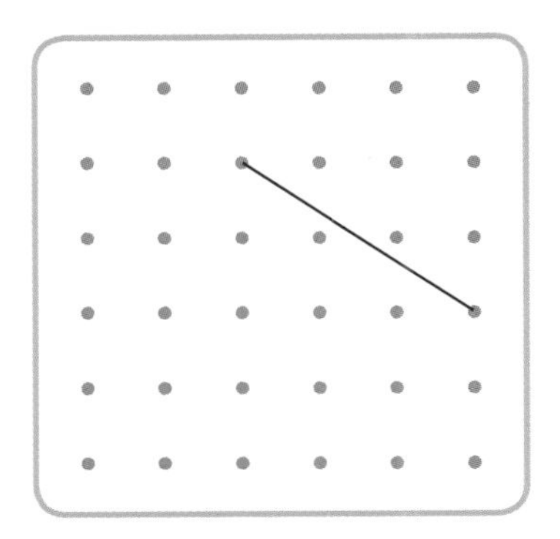
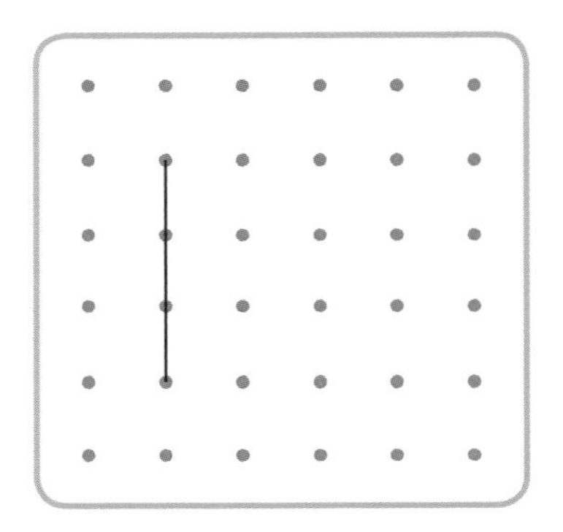
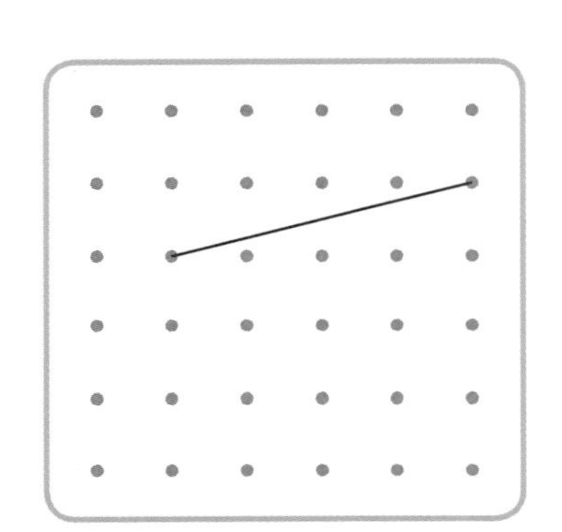
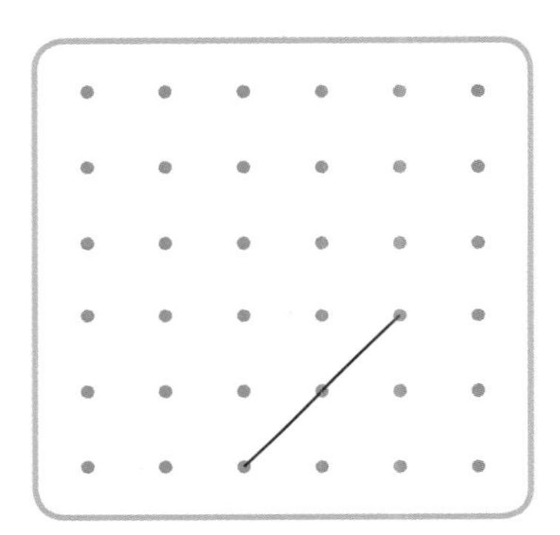
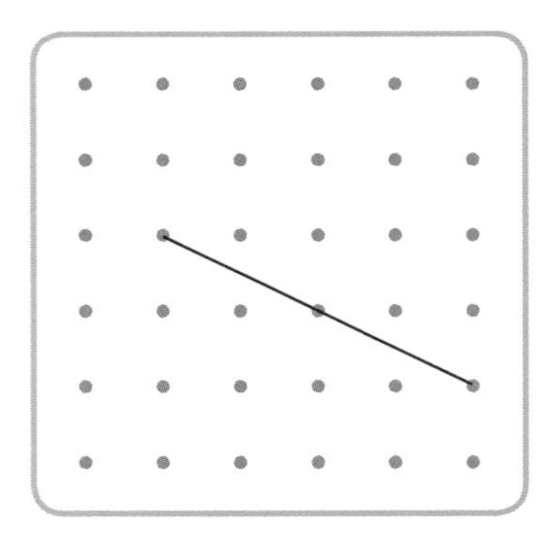
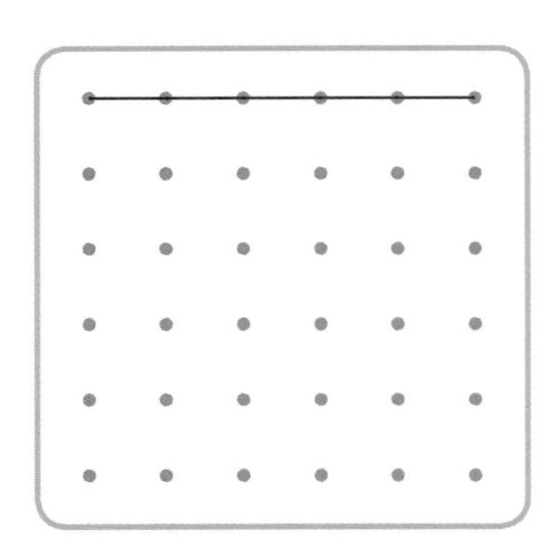
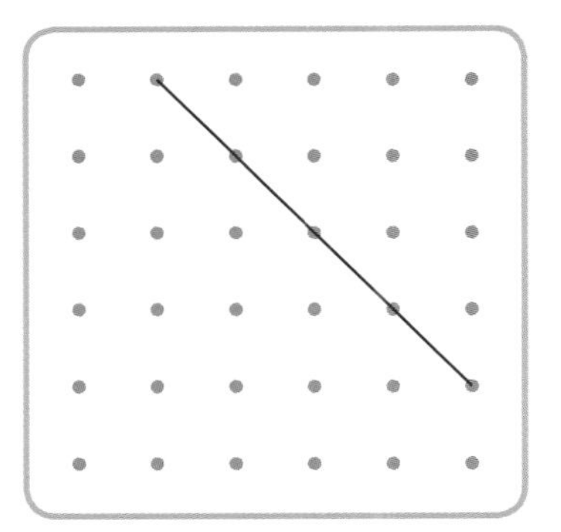

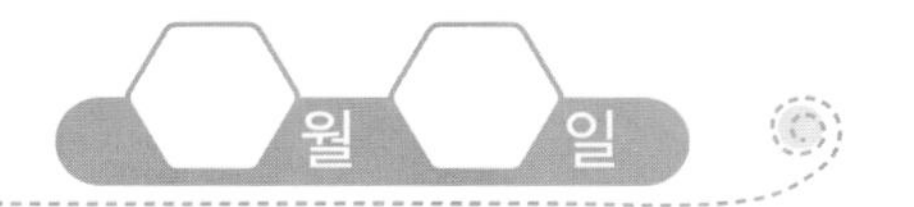

● 표시된 점 중 세 점을 이어 이등변삼각형을 그려 보세요.

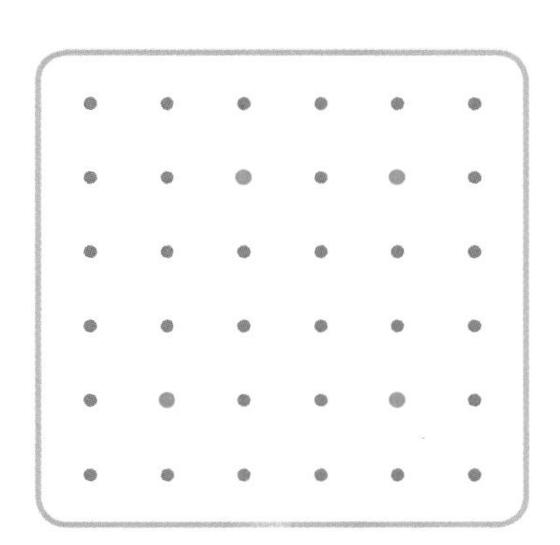
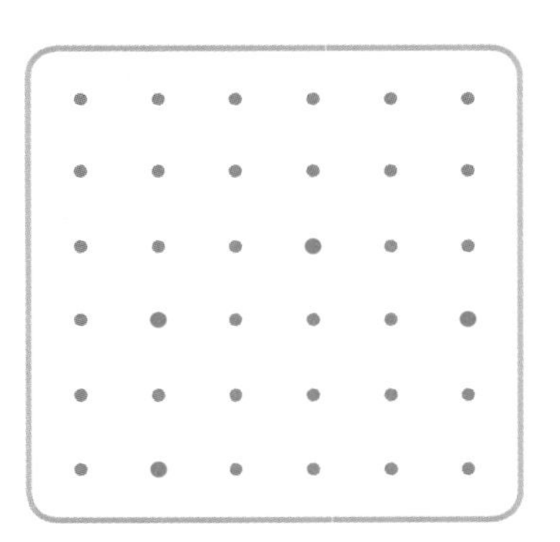
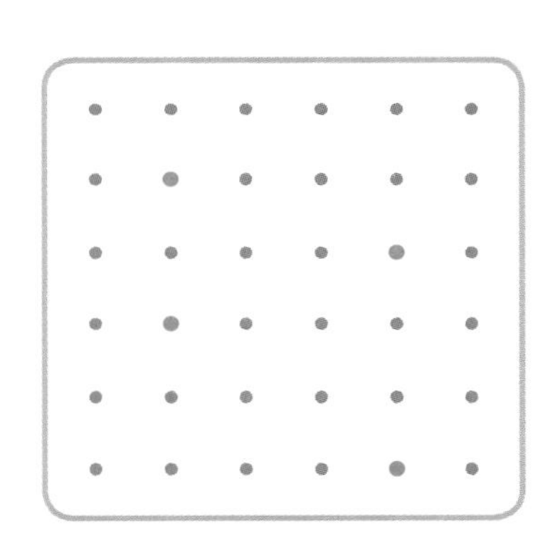
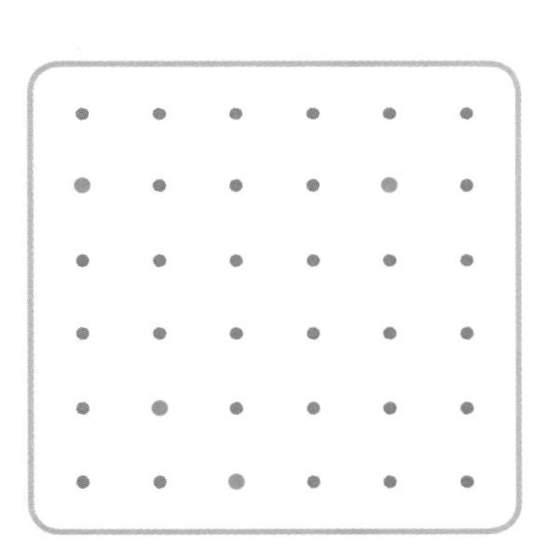
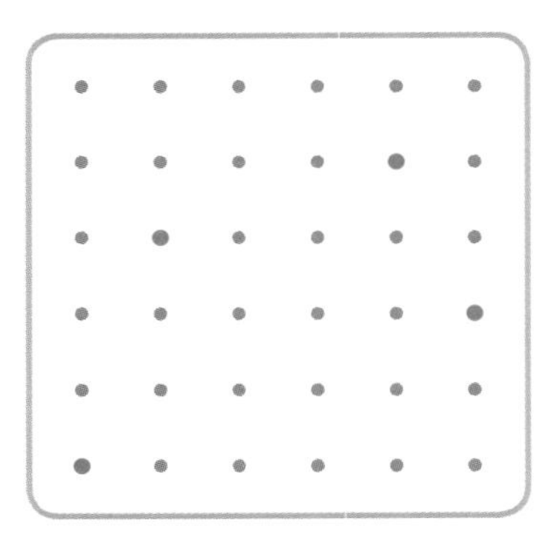
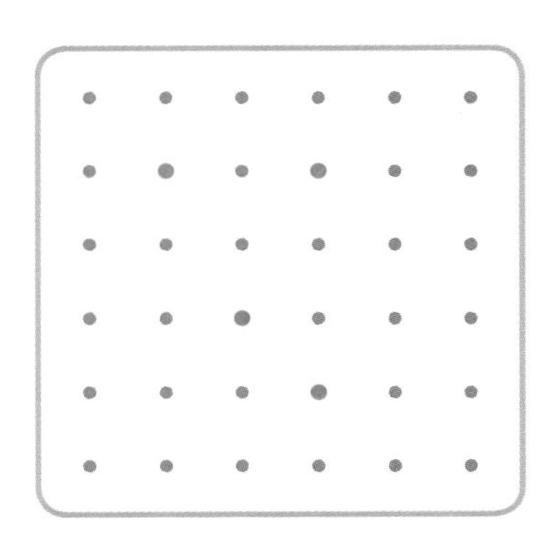
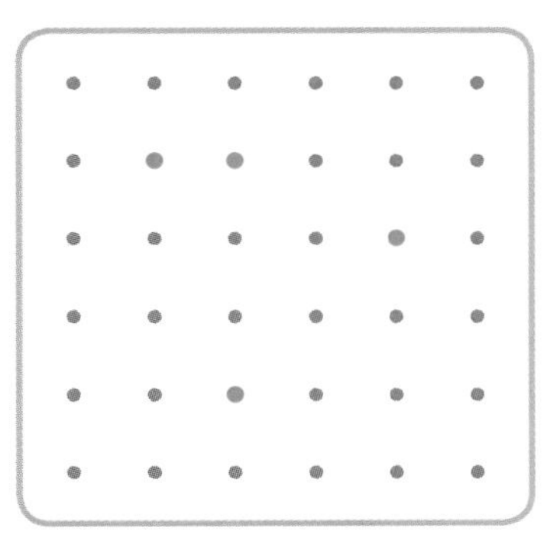

13일 이등변삼각형의 성질

1 다음은 이등변삼각형입니다. 빈칸에 알맞은 수를 써넣으세요.

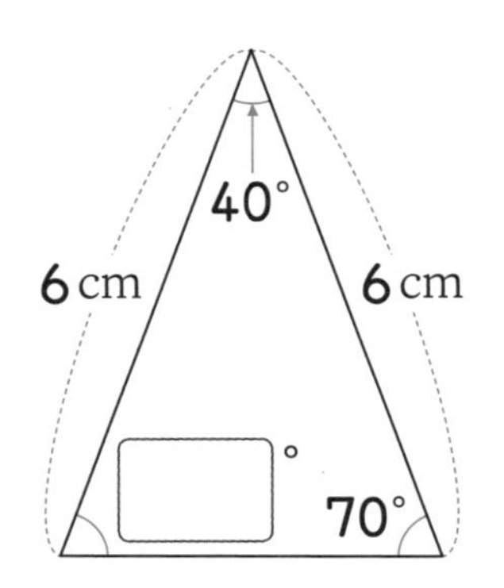

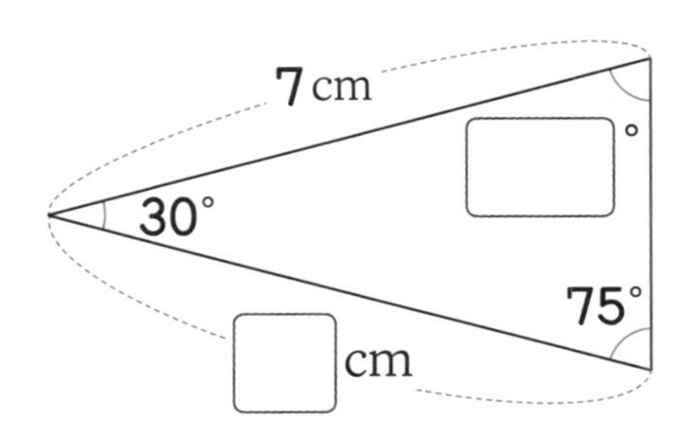

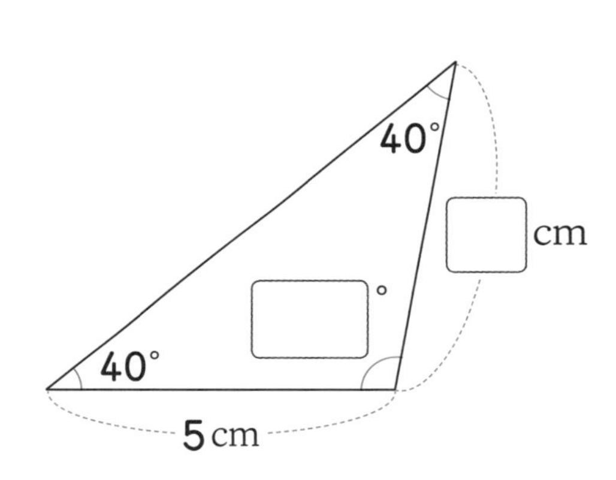

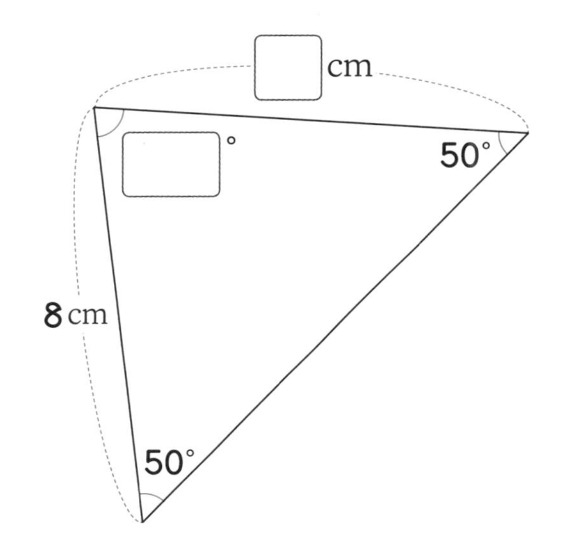

이등변삼각형의 두 각

이등변삼각형은 길이가 같은 두 변에 있는 **두 각**의 크기가 같습니다.

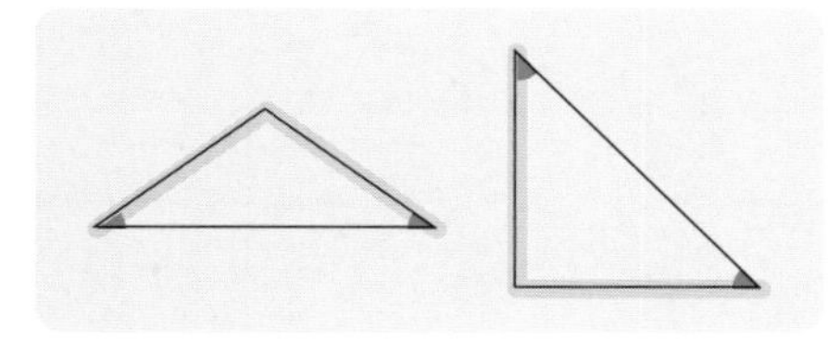

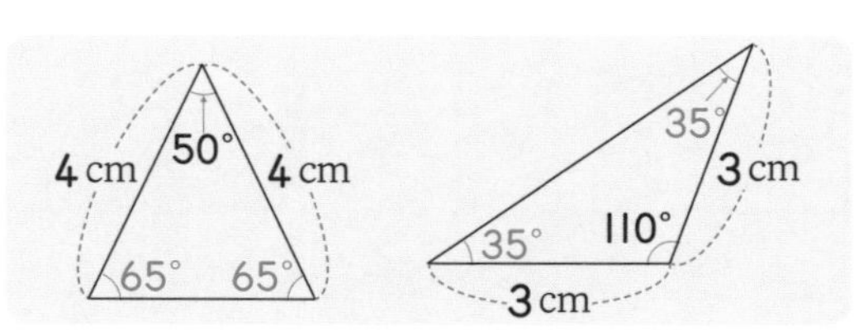

11 다음은 이등변삼각형입니다. 빈칸에 알맞은 수를 써넣으세요.

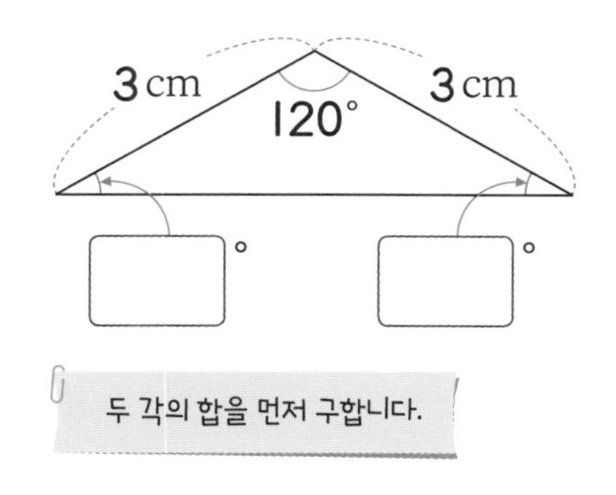

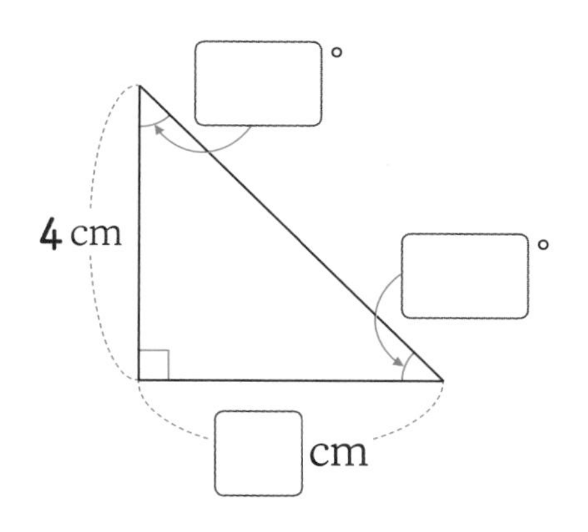

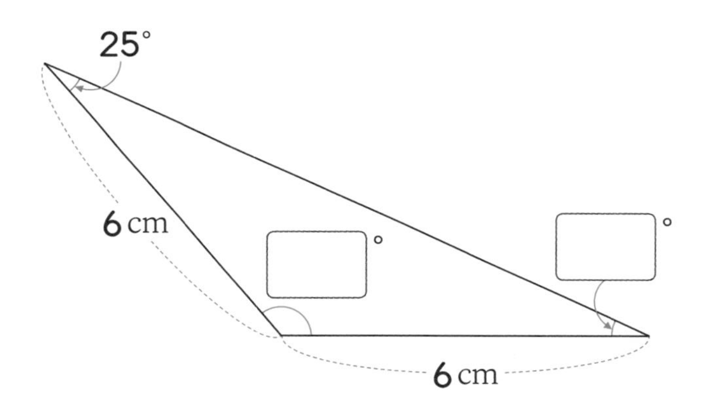

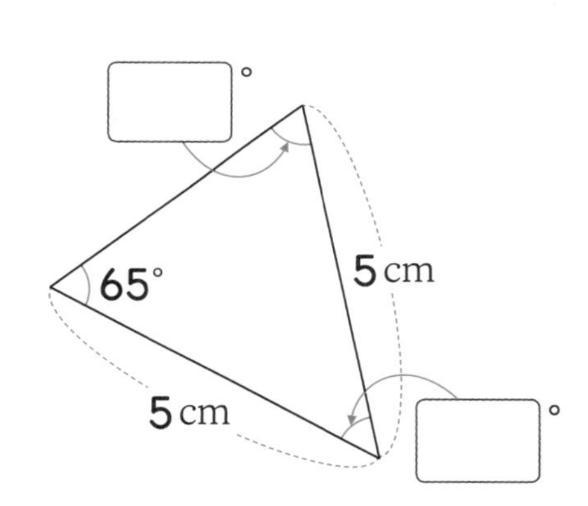

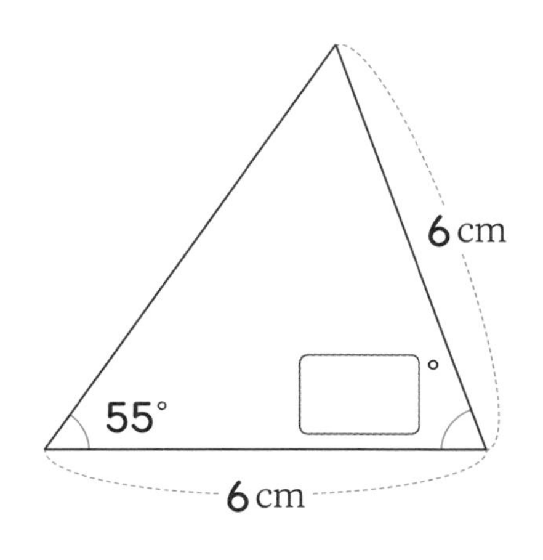

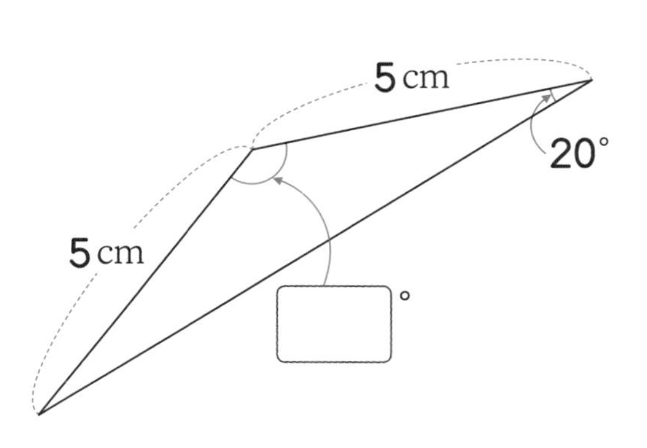

14일 정삼각형

1 정삼각형을 찾아 모두 ○표 하세요.

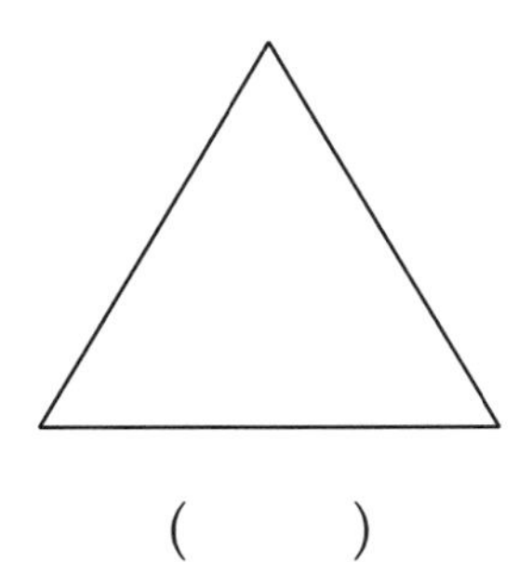

(　　)

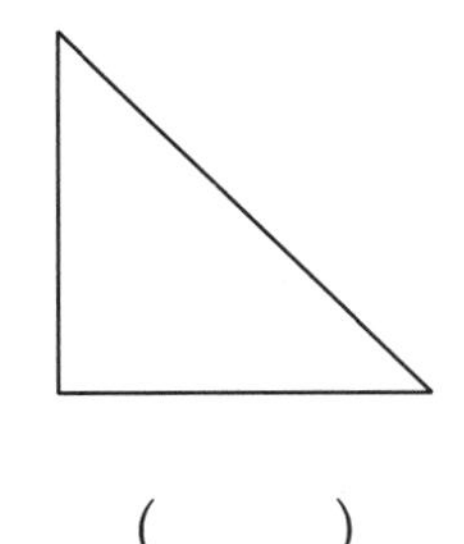

(　　)

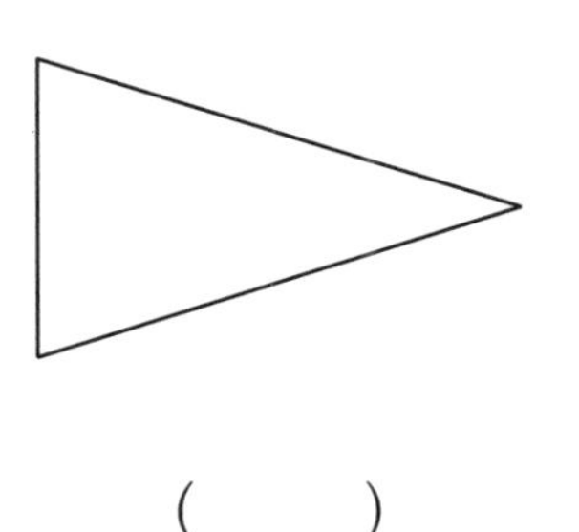

(　　)

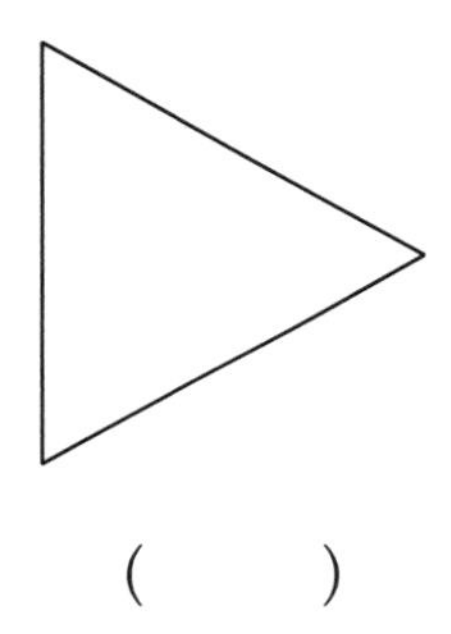

(　　)

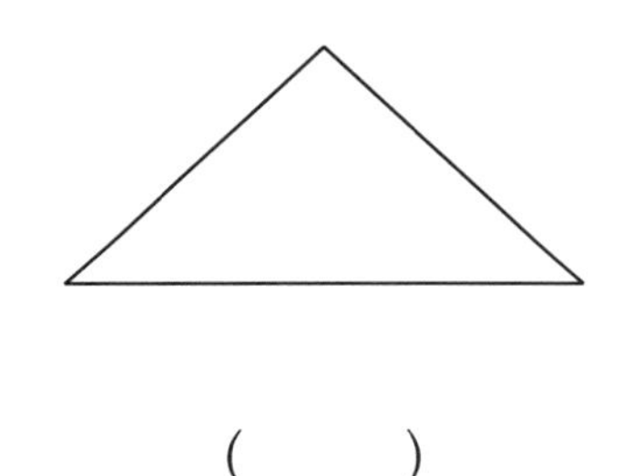

(　　)

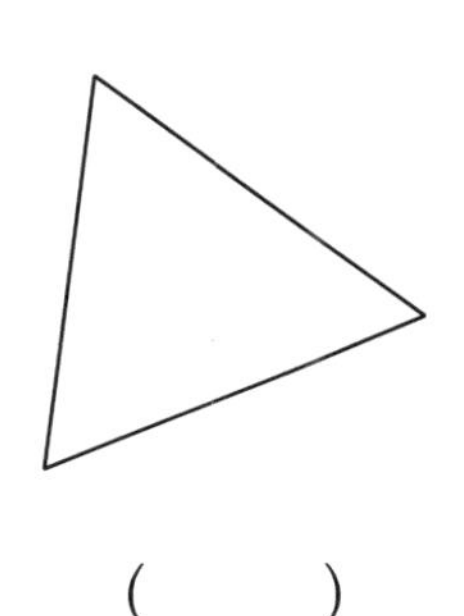

(　　)

정삼각형

세 변의 길이가 같은 삼각형을 정삼각형이라고 합니다.

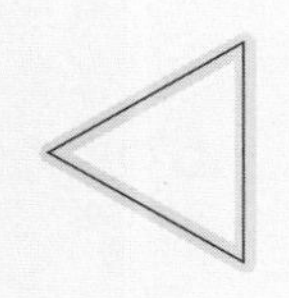

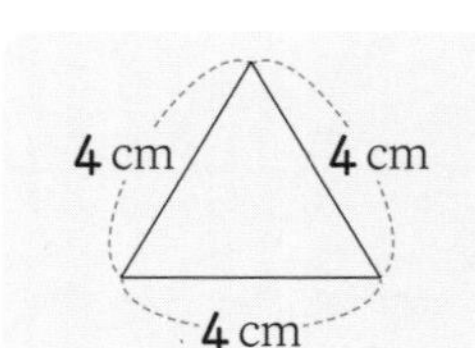

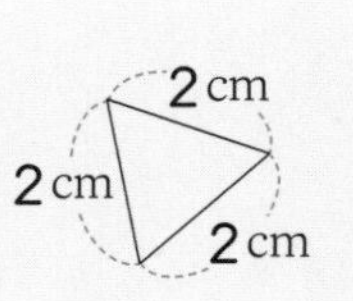

정삼각형은 두 변의 길이도 같으므로 정삼각형은 이등변삼각형이라고 할 수 있습니다.

다음은 정삼각형입니다. 빈칸에 알맞은 수를 써넣으세요.

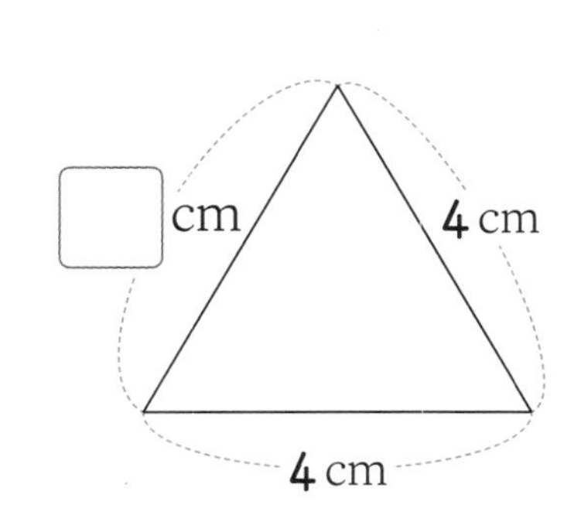

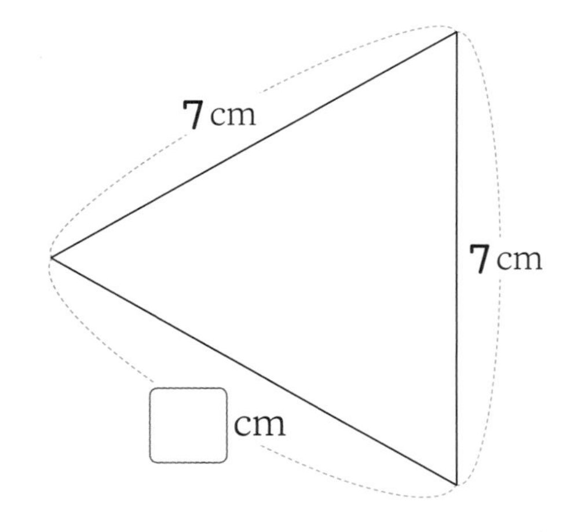

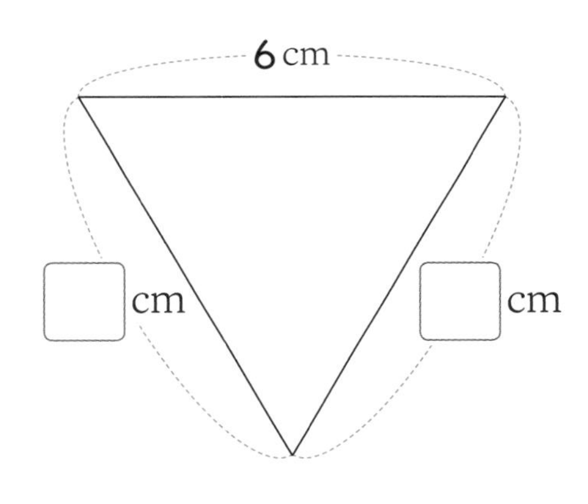

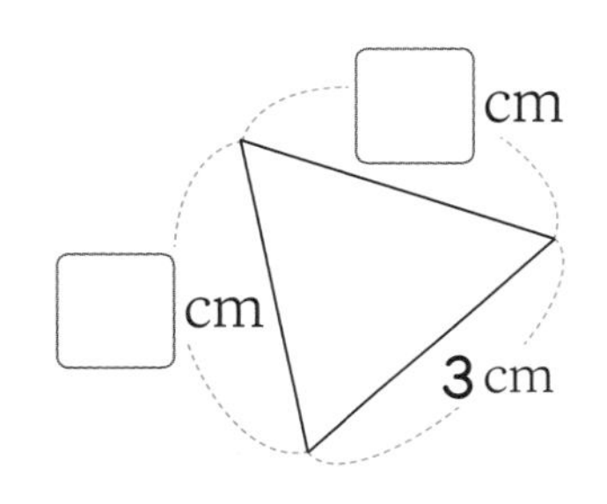

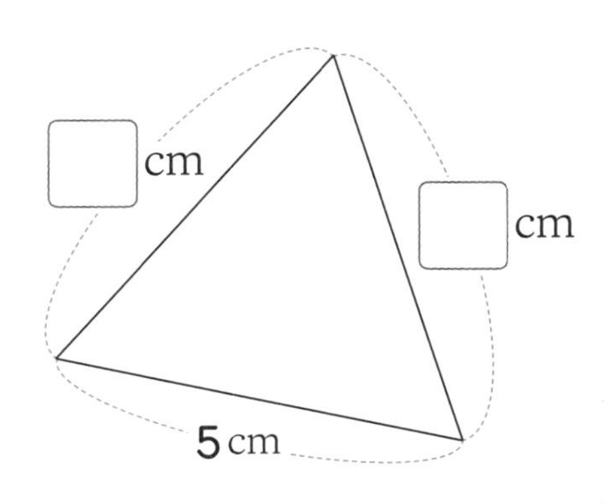

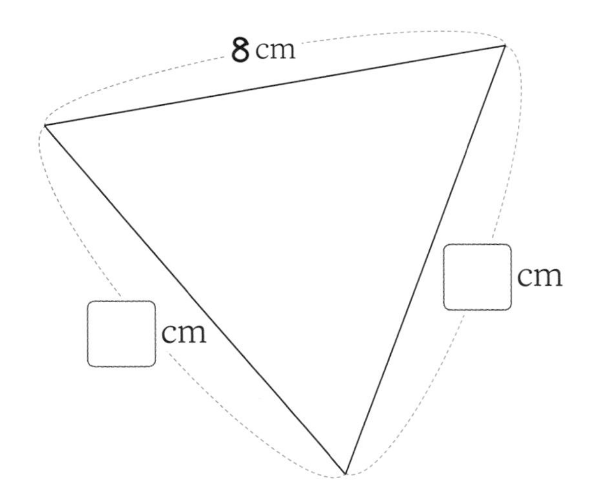

15일 정삼각형의 성질

1 다음은 정삼각형입니다. 빈칸에 알맞은 수를 써넣으세요.

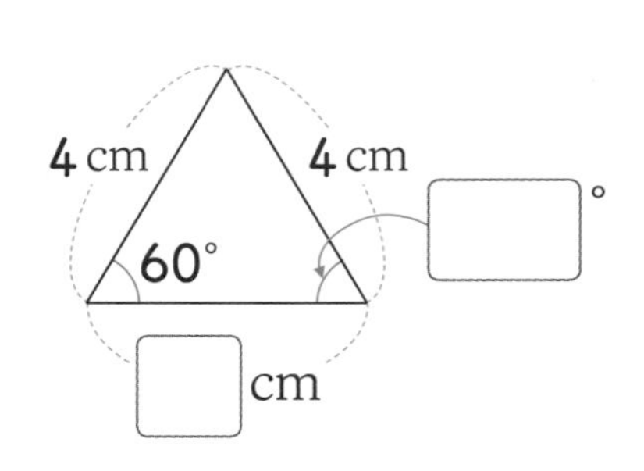

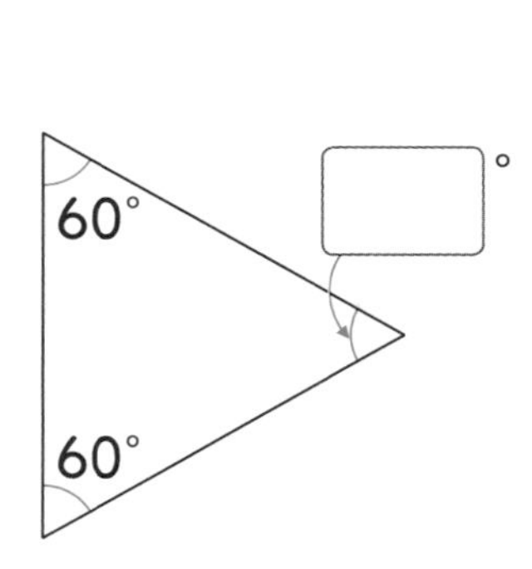

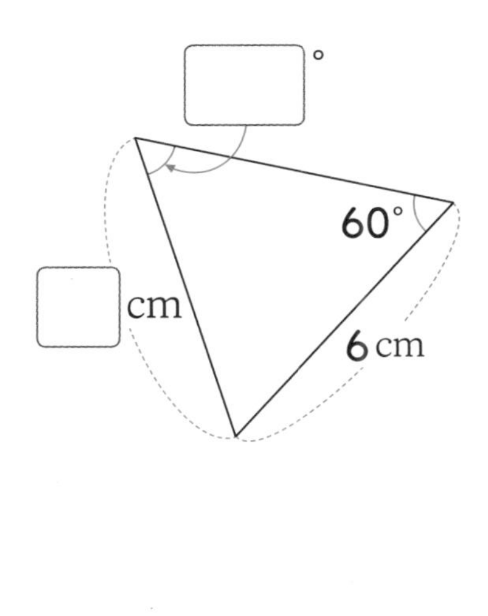

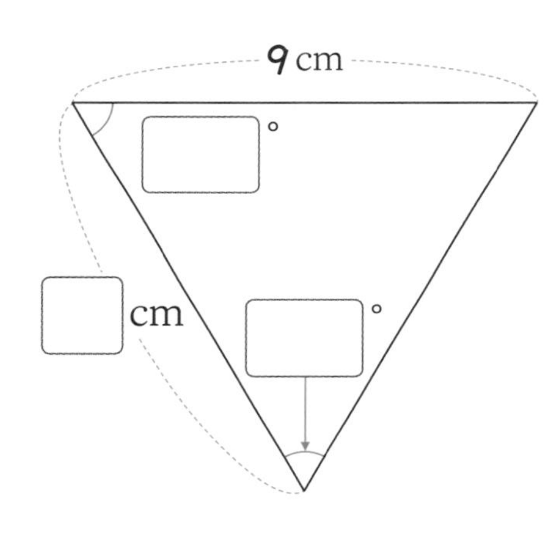

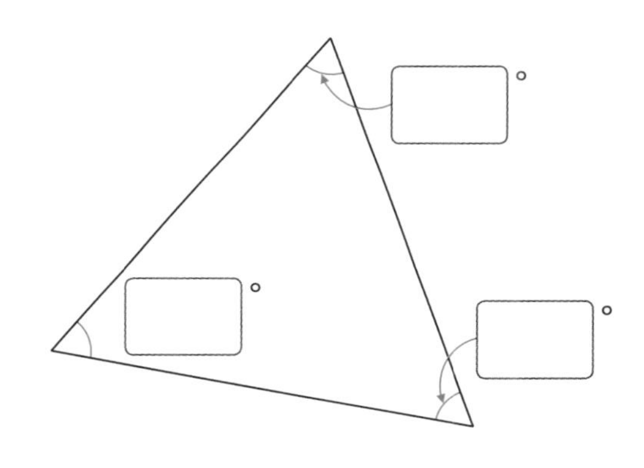

정삼각형의 세 각

정삼각형은 **세 각**의 크기가 모두 같습니다.

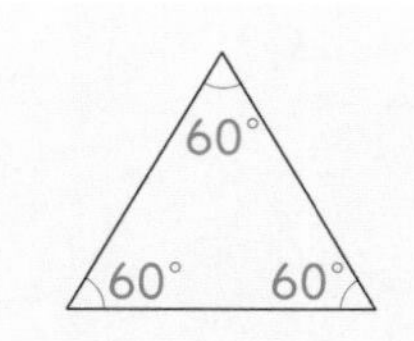

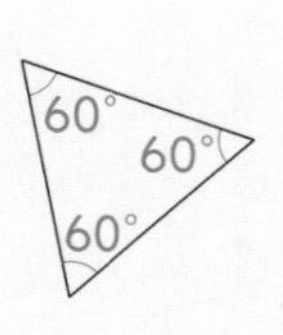

삼각형의 세 각의 크기의 합은 180°이므로 정삼각형의 한 각의 크기는 항상 60°입니다.

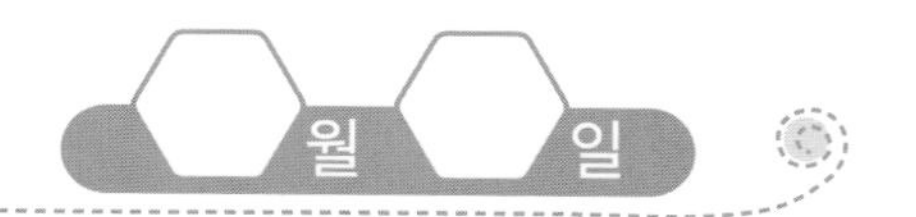

다음 삼각형은 모두 정삼각형입니다. 빈칸에 알맞은 수를 써넣으세요.

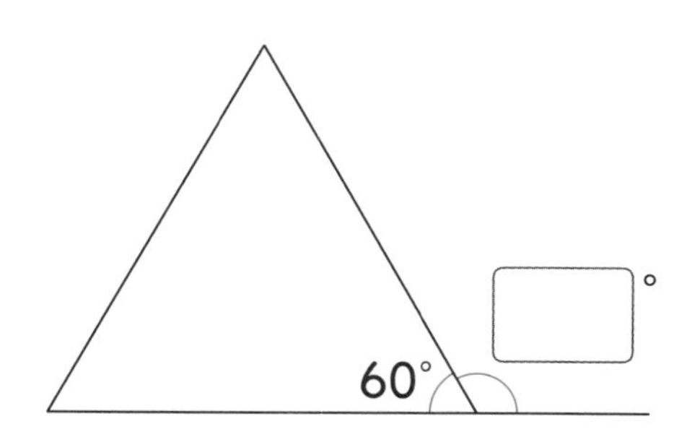

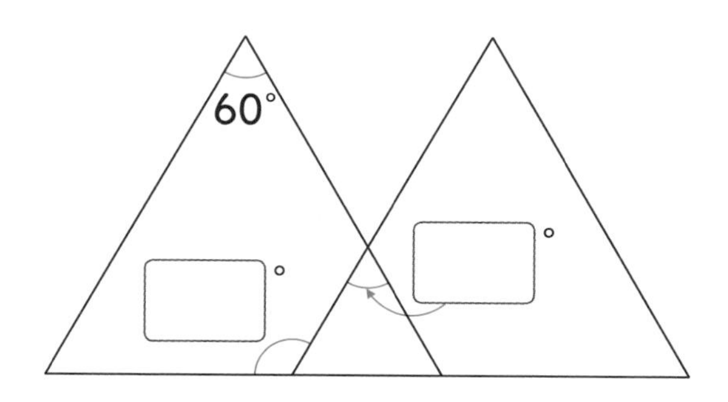

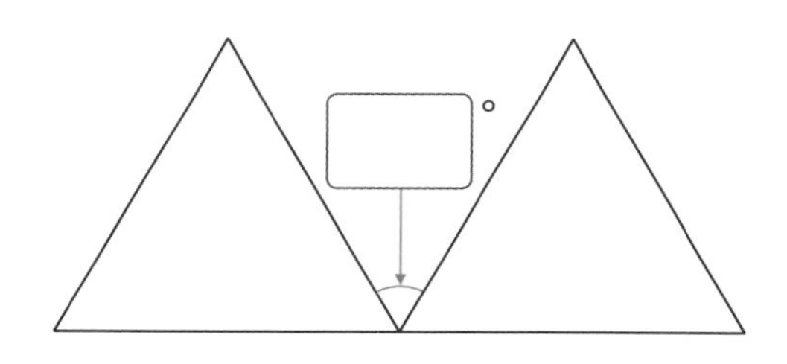

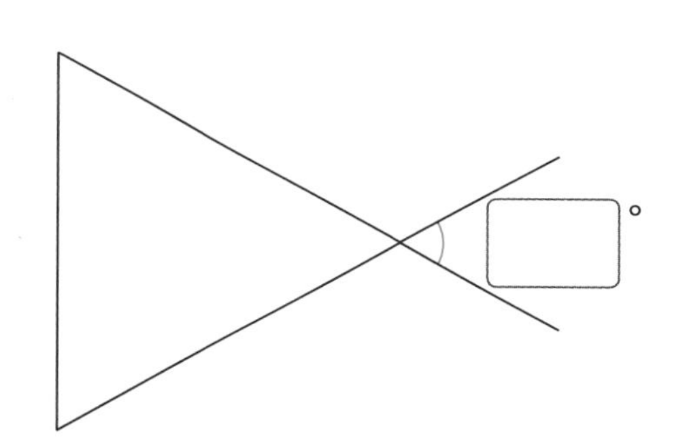

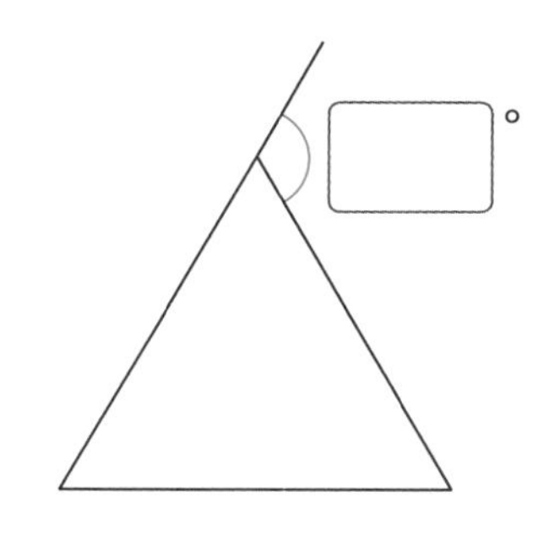

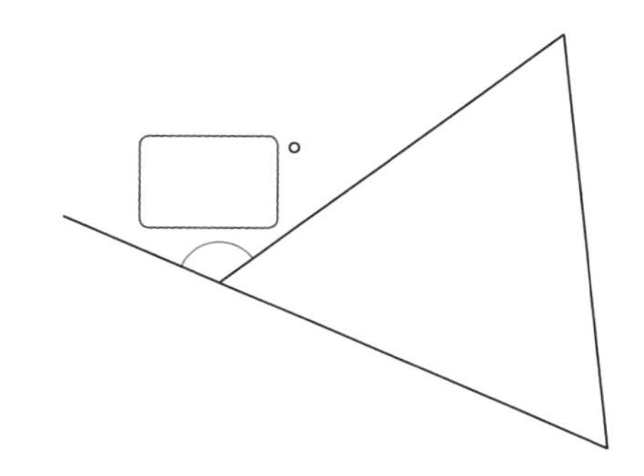

11 삼각형을 보고 물음에 답하세요.

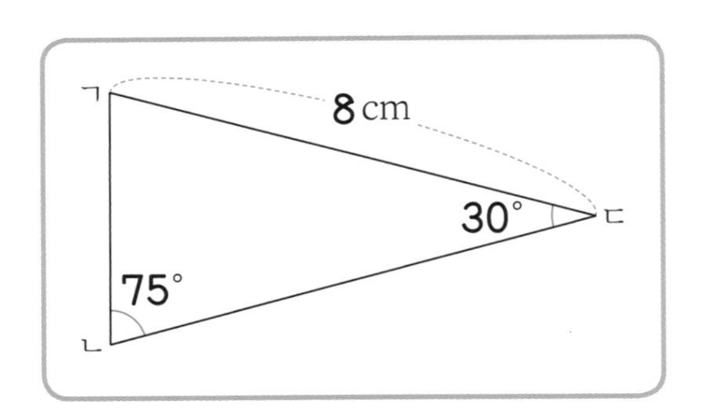

각 ㄴㄱㄷ의 크기는 몇 도인가요?

(　　　　　)°

변 ㄴㄷ의 길이는 몇 cm인가요?

(　　　　　)cm

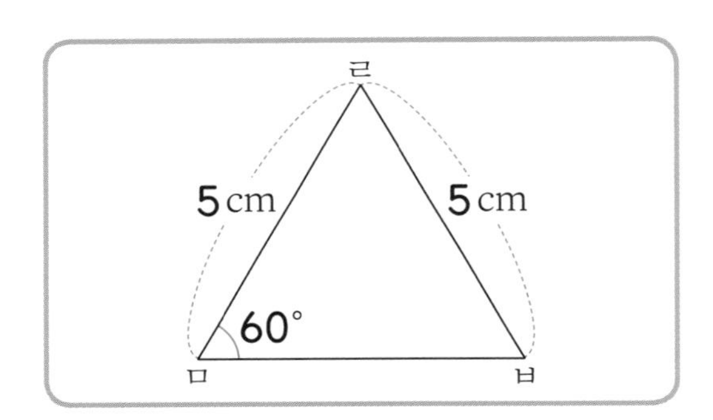

각 ㄹㅂㅁ의 크기는 몇 도인가요?

(　　　　　)°

변 ㅁㅂ의 길이는 몇 cm인가요?

(　　　　　)cm

4주차
16~20일

각의 크기와 삼각형

예각삼각형, 둔각삼각형

1 예각삼각형에는 '예', 직각삼각형에는 '직', 둔각삼각형에는 '둔'을 써 보세요.

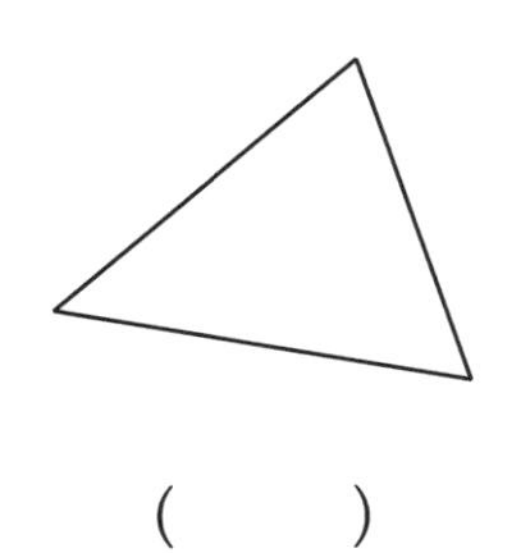

(　　)

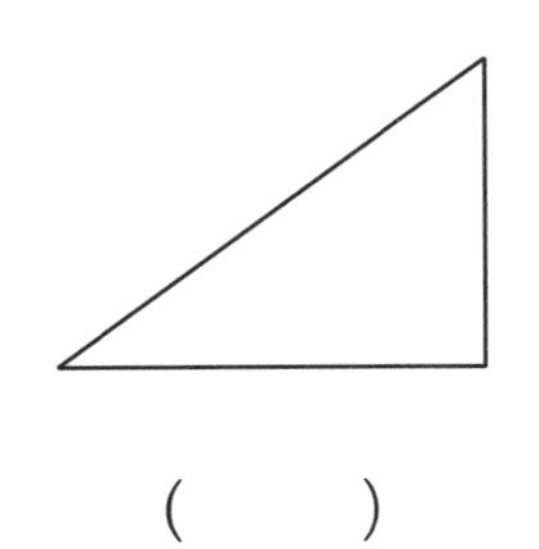

(　　)

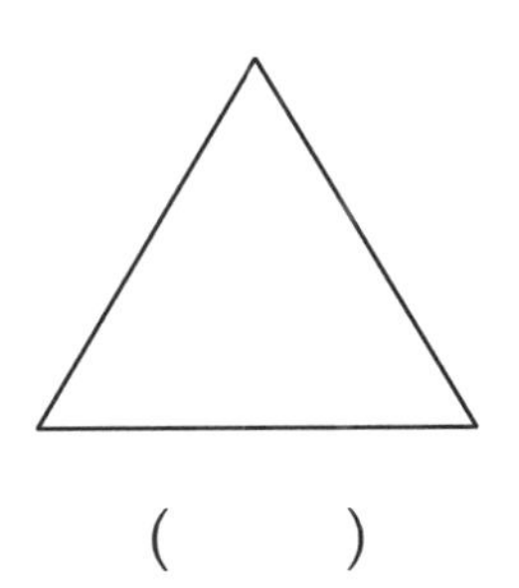

(　　)

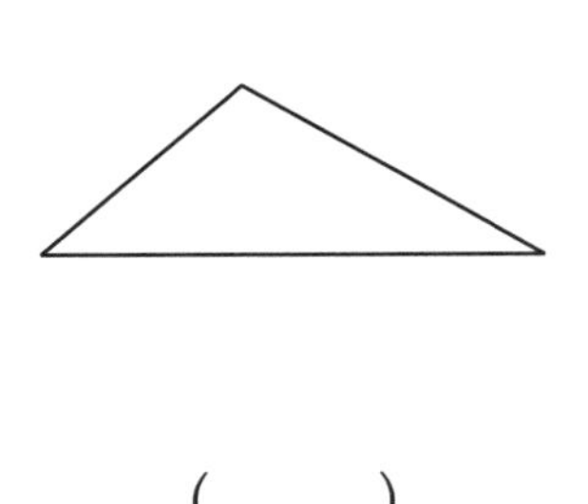

(　　)

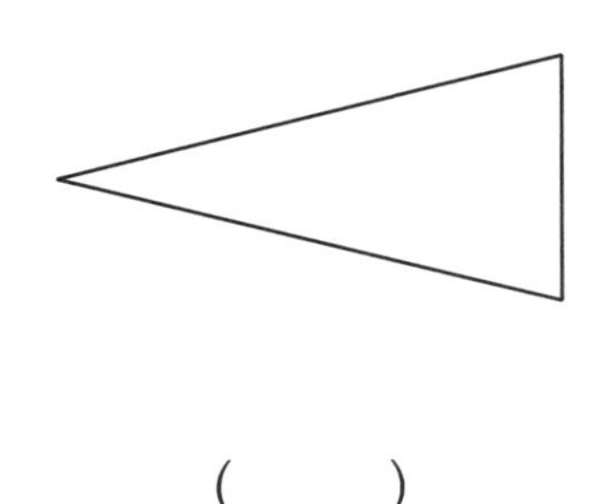

(　　)

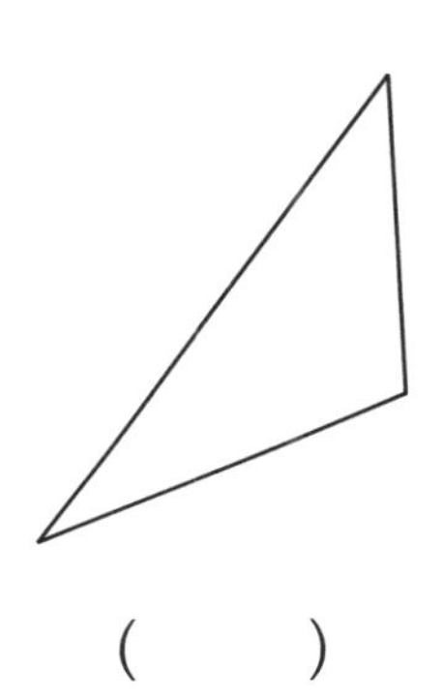

(　　)

각의 크기에 따른 삼각형

삼각형은 각의 크기에 따라 예각삼각형, 직각삼각형, 둔각삼각형으로 분류할 수 있습니다.

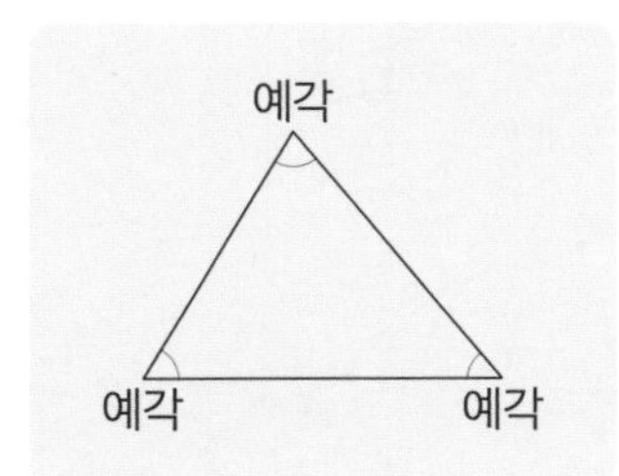

세 각이 모두 예각인 삼각형을 예각삼각형이라고 합니다.

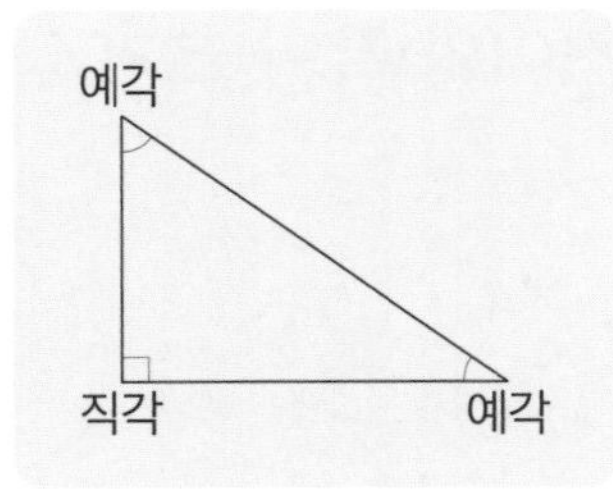

한 각이 직각인 삼각형을 직각삼각형이라고 합니다.

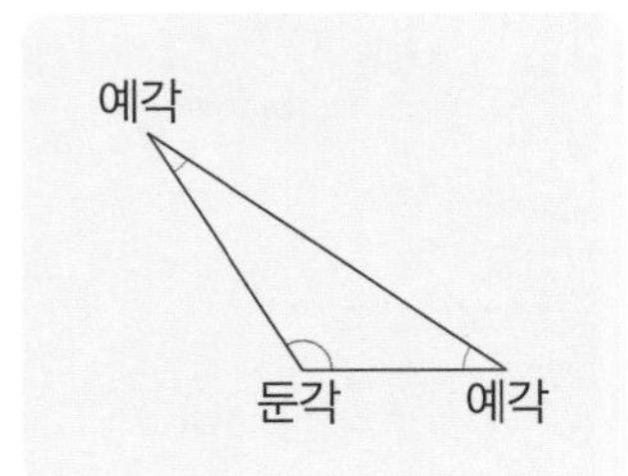

한 각이 둔각인 삼각형을 둔각삼각형이라고 합니다.

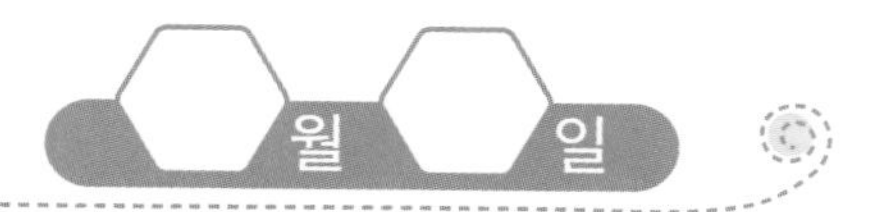

주어진 선분을 한 변으로 하는 예각삼각형과 둔각삼각형을 그려 보세요.

예각삼각형 | 둔각삼각형

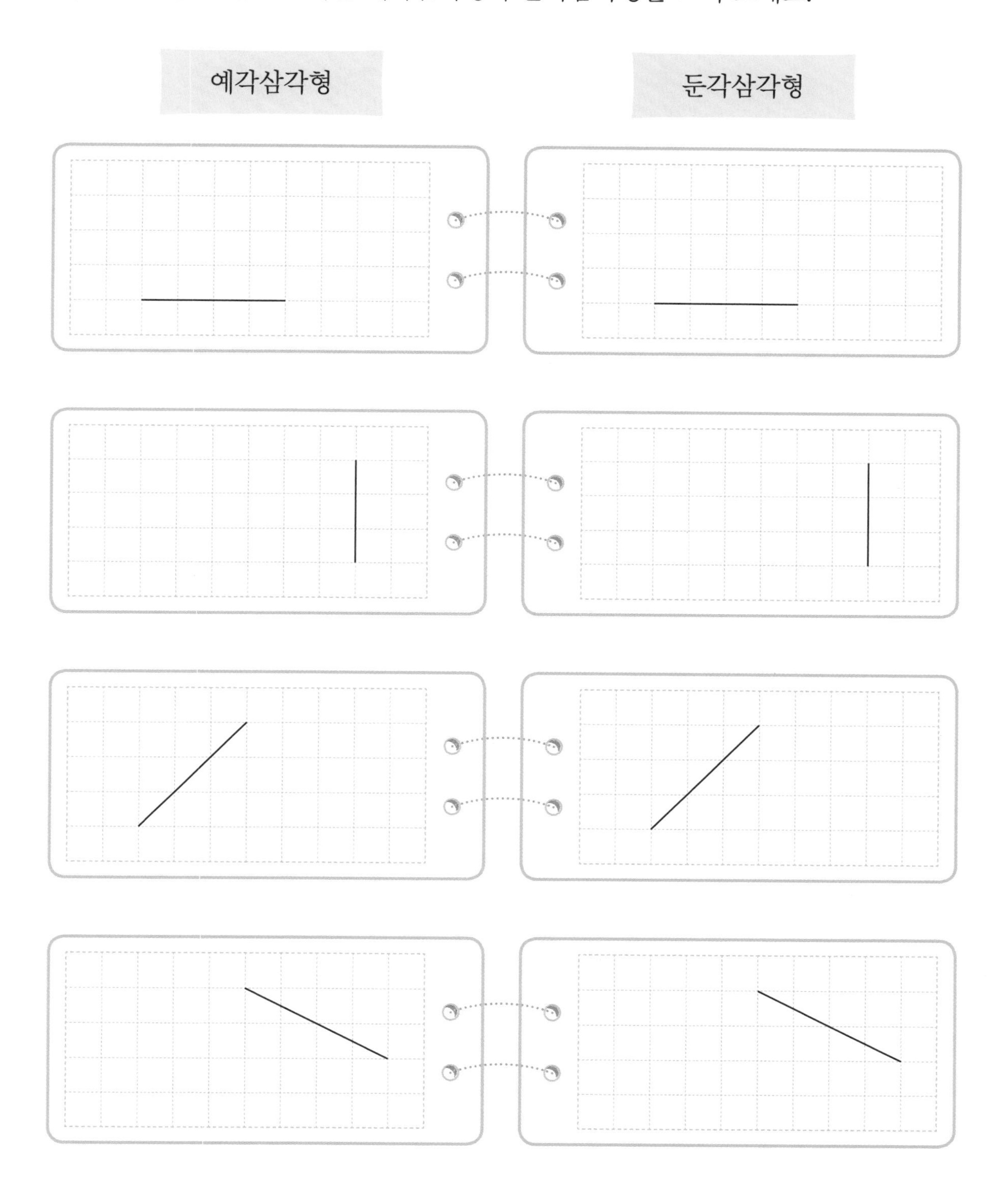

17일 삼각형 분류하기

알맞게 이어 보세요.

이등변삼각형

세 변의 길이가 모두 다른 삼각형

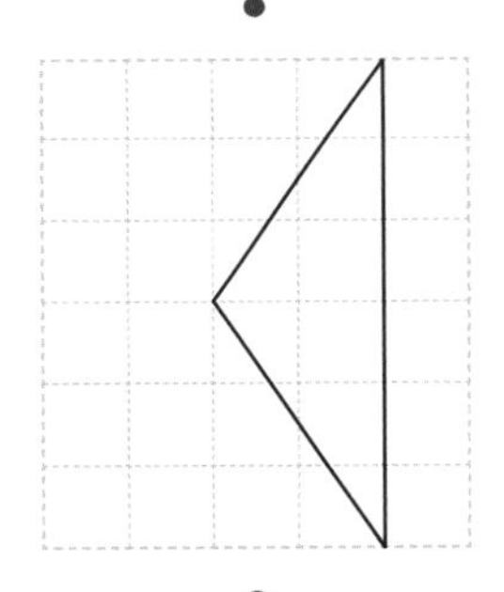

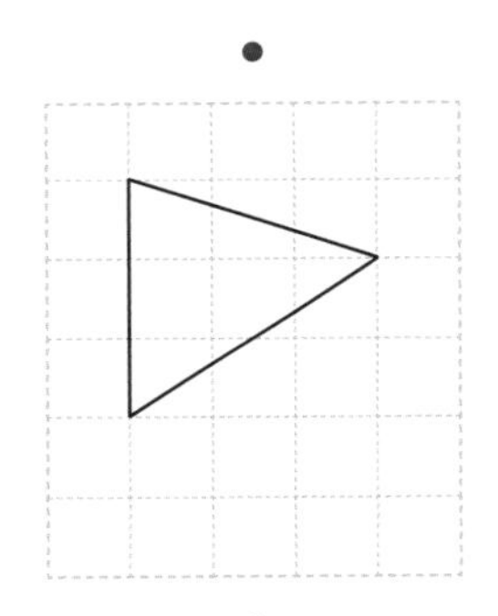

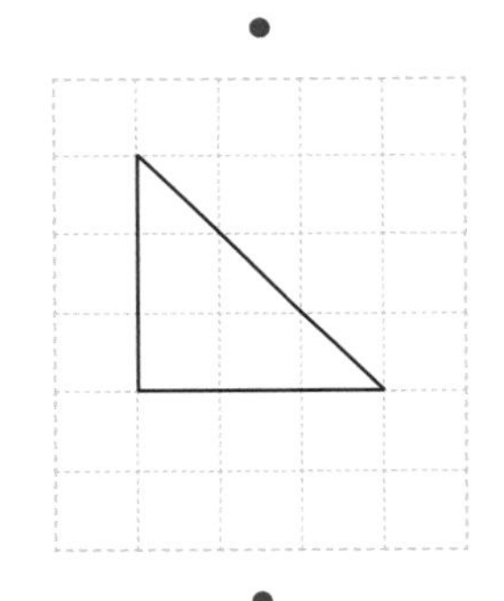

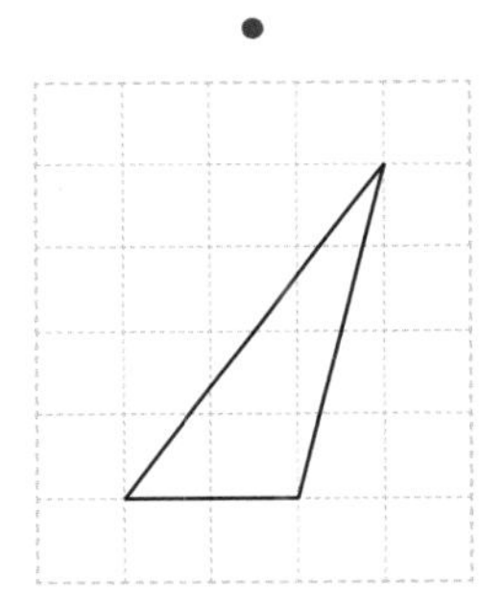

예각삼각형

직각삼각형

둔각삼각형

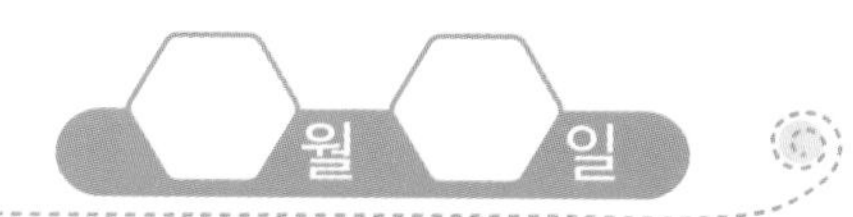

삼각형을 분류하여 기호를 써 보세요.

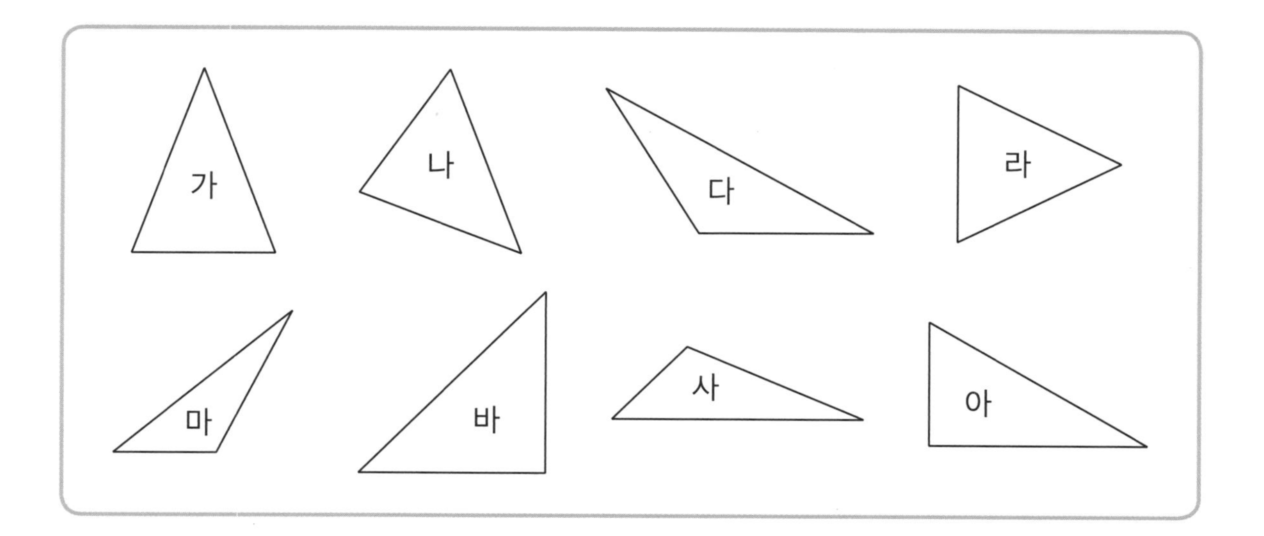

변의 길이에 따라 삼각형을 분류해 보세요.

이등변삼각형	세 변의 길이가 모두 다른 삼각형

각의 크기에 따라 삼각형을 분류해 보세요.

예각삼각형	직각삼각형	둔각삼각형

18일 각도와 삼각형

1 삼각형의 세 각 또는 두 각의 크기를 보고 이등변삼각형인 것에 ◯표 하세요.

30°, 50°, 100°	90°, 45°, 45°	50°, 80°, 50°
(　　)	(　　)	(　　)
20°, 25°, 135°	15°, 15°, 150°	60°, 65°, 55°
(　　)	(　　)	(　　)
65°, 50°	130°, 30°	30°, 75°
(　　)	(　　)	(　　)
40°, 100°	70°, 55°	115°, 35°
(　　)	(　　)	(　　)

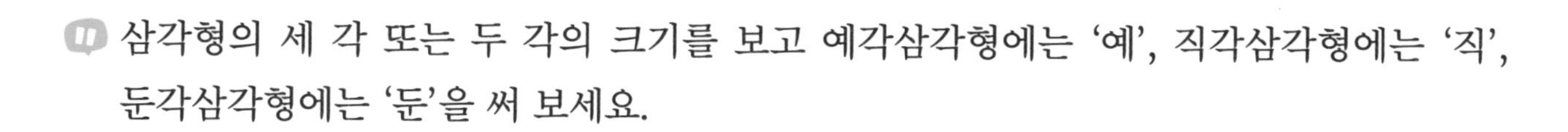

삼각형의 세 각 또는 두 각의 크기를 보고 예각삼각형에는 '예', 직각삼각형에는 '직', 둔각삼각형에는 '둔'을 써 보세요.

120°, 20°, 40°	80°, 40°, 60°	60°, 60°, 60°
( )	( )	( )
55°, 35°, 90°	45°, 95°, 40°	85°, 85°, 10°
( )	( )	( )
70°, 30°	30°, 60°	25°, 35°
( )	( )	( )
25°, 85°	20°, 20°	55°, 30°
( )	( )	( )

19일 삼각형의 이름

1 빈칸에 알맞은 삼각형의 이름을 써넣으세요.

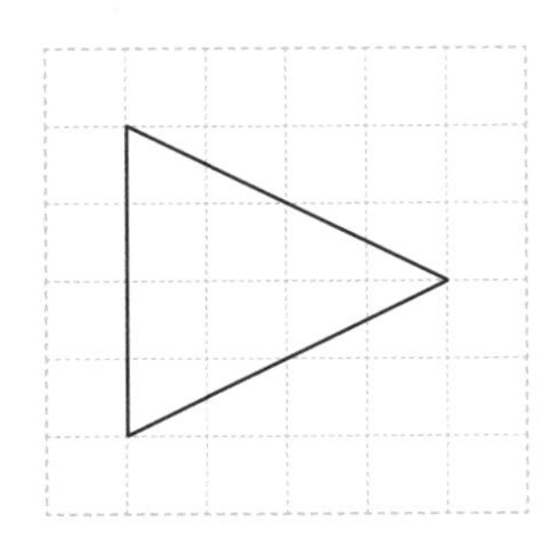

두 변의 길이가 같으므로 [　　　　] 입니다.

세 각이 모두 예각이므로 [　　　　] 입니다.

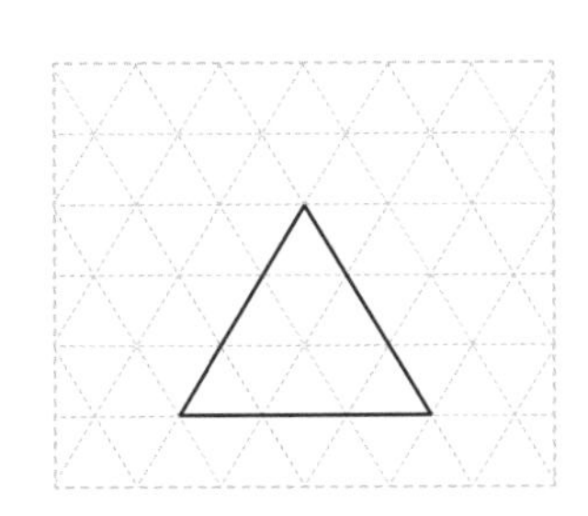

세 변의 길이가 모두 같으므로 [　　　　] 입니다.

두 변의 길이도 같으므로 [　　　　] 입니다.

세 각이 모두 예각이므로 [　　　　] 입니다.

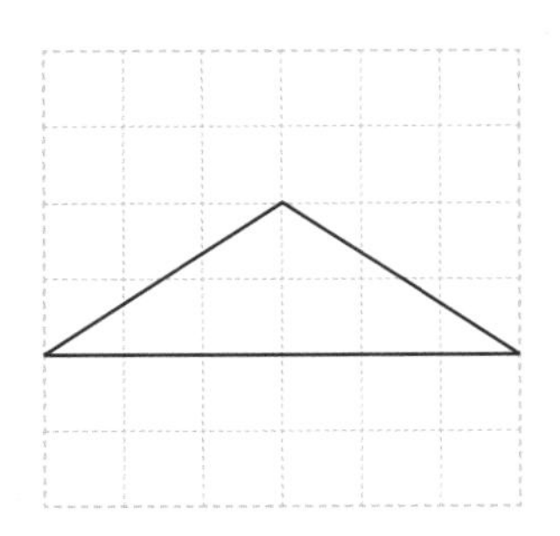

두 각의 크기가 같으므로 [　　　　] 입니다.

한 각이 둔각이므로 [　　　　] 입니다.

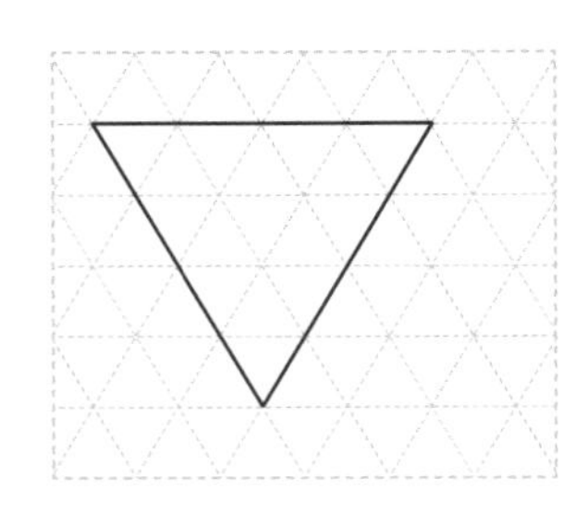

세 각의 크기가 모두 같으므로 [　　　　] 입니다.

두 각의 크기도 같으므로 [　　　　] 입니다.

세 각이 모두 예각이므로 [　　　　] 입니다.

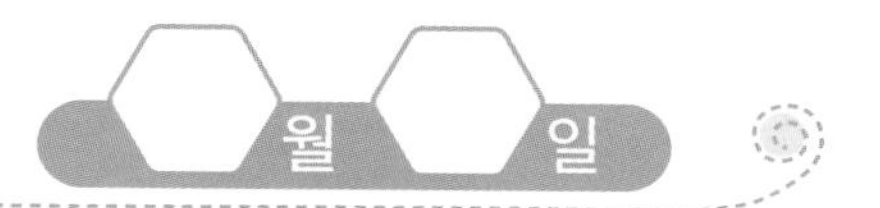

삼각형의 이름이 될 수 있는 것에 모두 ◯표 하세요.

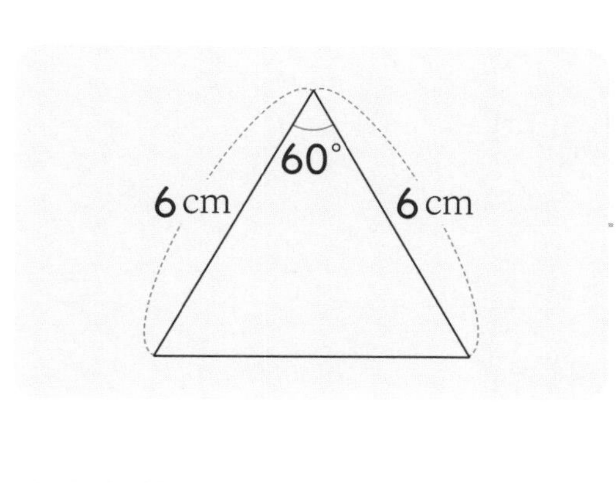

이등변삼각형　정삼각형

예각삼각형　직각삼각형　둔각삼각형

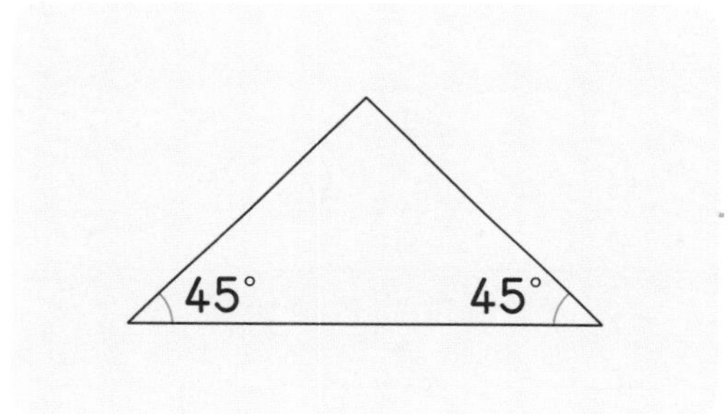

이등변삼각형　정삼각형

예각삼각형　직각삼각형　둔각삼각형

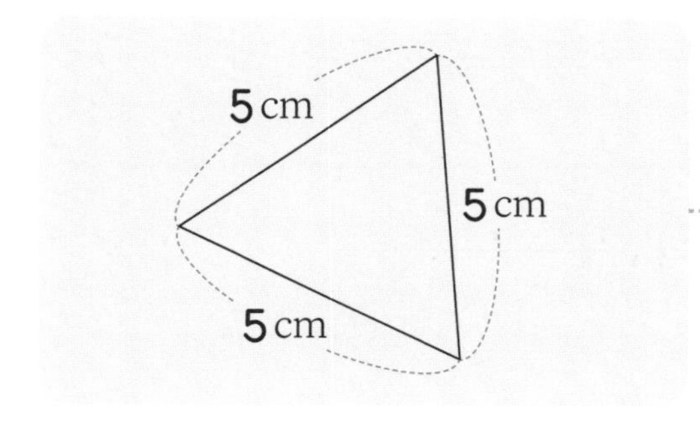

이등변삼각형　정삼각형

예각삼각형　직각삼각형　둔각삼각형

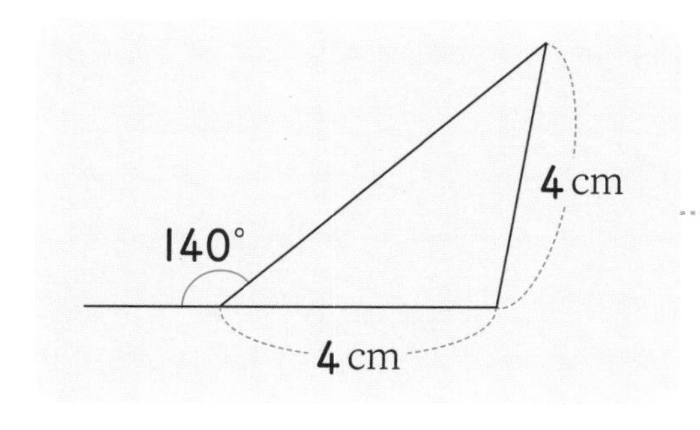

이등변삼각형　정삼각형

예각삼각형　직각삼각형　둔각삼각형

20일 변의 길이와 각의 크기

바르게 설명한 것에 ○표, 잘못 설명한 것에 ×표 하세요.

이등변삼각형이면서 직각삼각형인 삼각형이 있습니다. ( )

두 변의 길이가 같은 삼각형을 정삼각형이라고 합니다. ( )

둔각삼각형이면서 이등변삼각형인 삼각형이 있습니다. ( )

정삼각형은 이등변삼각형이라고 할 수 있습니다. ( )

모든 삼각형에는 예각이 적어도 하나는 있습니다. ( )

정삼각형이면서 둔각삼각형인 삼각형이 있습니다. ( )

예각이 있는 삼각형은 모두 예각삼각형입니다. ( )

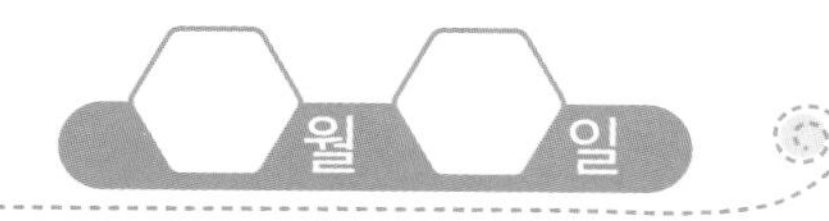

물음에 답하세요.

한 변의 길이가 8 cm인 정삼각형의 세 변의 길이의 합은 몇 cm일까요?

(　　　　　　)cm

세 변의 길이의 합이 27 cm인 정삼각형이 있습니다. 이 정삼각형의 한 변의 길이는 몇 cm일까요?

(　　　　　　)cm

이등변삼각형 ㄱㄴㄷ의 세 변의 길이의 합이 19 cm입니다. 변 ㄱㄷ의 길이는 몇 cm일까요?

(　　　　　　)cm

물음에 답하세요.

삼각형 모양의 색종이를 반으로 접었더니 완전히 겹쳐졌습니다. 각 ㄴㄱㄷ의 크기와 변 ㄱㄷ의 길이를 각각 구해 보세요.

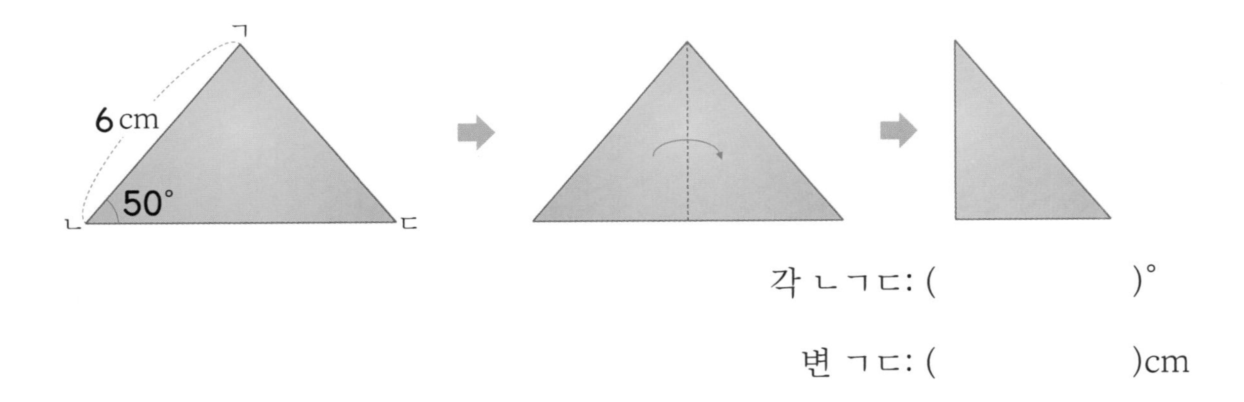

각 ㄴㄱㄷ: (　　　　　　)°

변 ㄱㄷ: (　　　　　　)cm

한 변의 길이가 5 cm인 정사각형 모양의 색종이를 다음과 같이 접었습니다. 각 ㄱㄴㄷ의 크기와 변 ㄱㄴ의 길이를 각각 구해 보세요.

5 cm

ㄱ ㄴ ㄷ

각 ㄱㄴㄷ: (　　　　　　)°

변 ㄱㄴ: (　　　　　　)cm

도형 플러스+

- 삼각자와 각도 -

PLUS 1 삼각자와 각도

두 가지 종류의 삼각자가 있습니다. 각도기를 이용하여 삼각자의 각도를 재어 보세요.

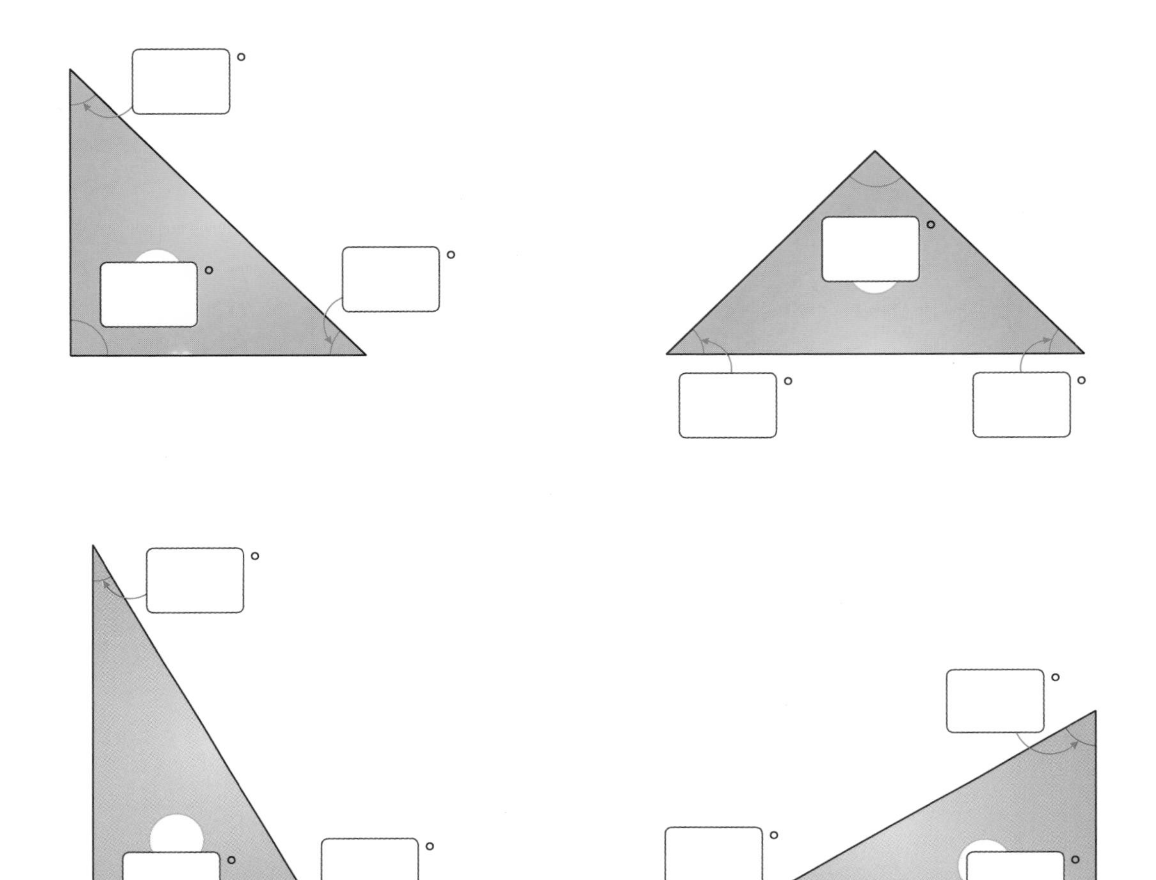

삼각자와 직각삼각형

삼각자는 다음과 같이 두 가지 종류가 있습니다.

➡ 직각삼각형 이등변삼각형

➡ 직각삼각형

빈칸에 알맞은 수를 써넣으세요.

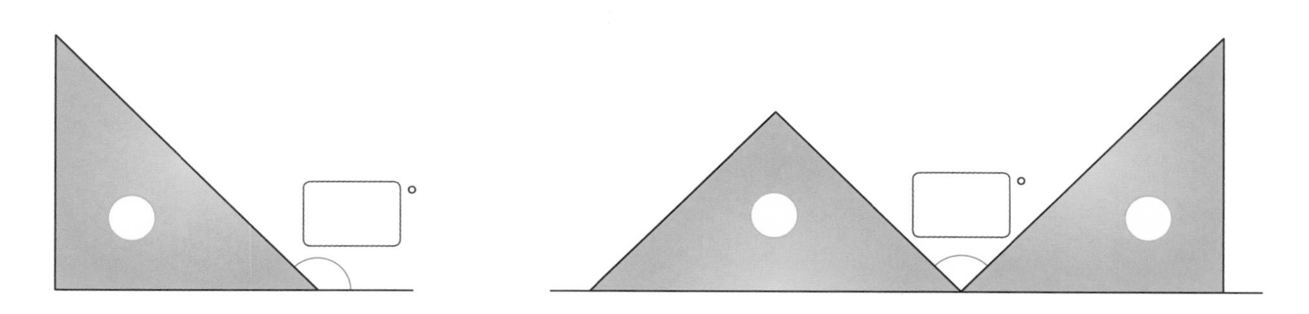

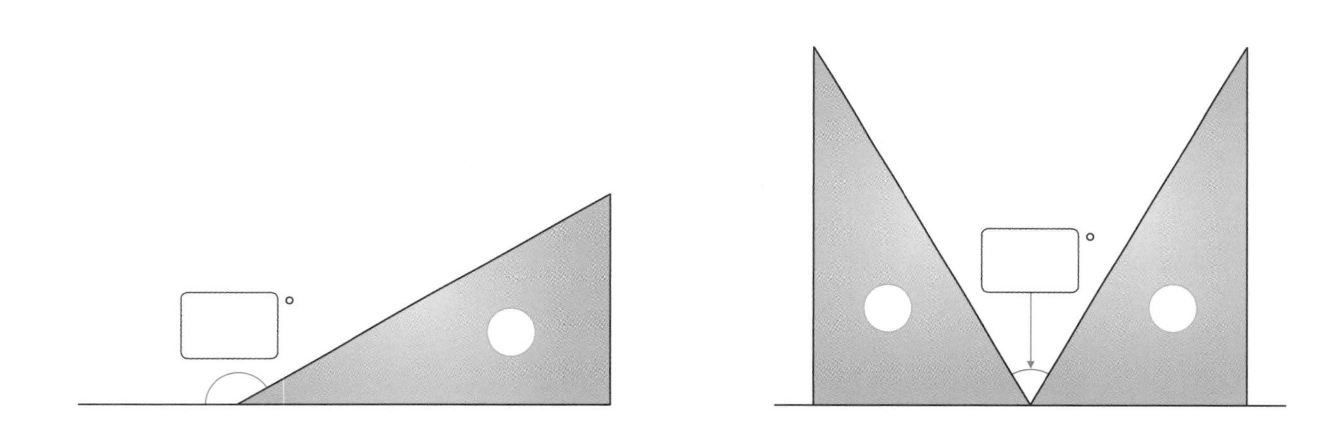

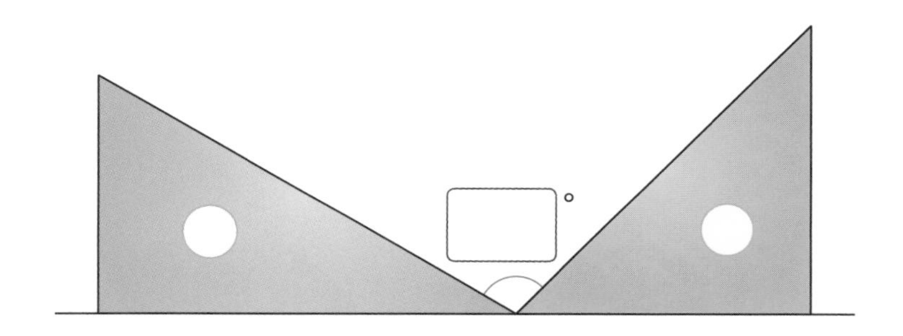

각도의 합과 차

삼각자 2개로 만들어지는 각도의 합을 구해 보세요.

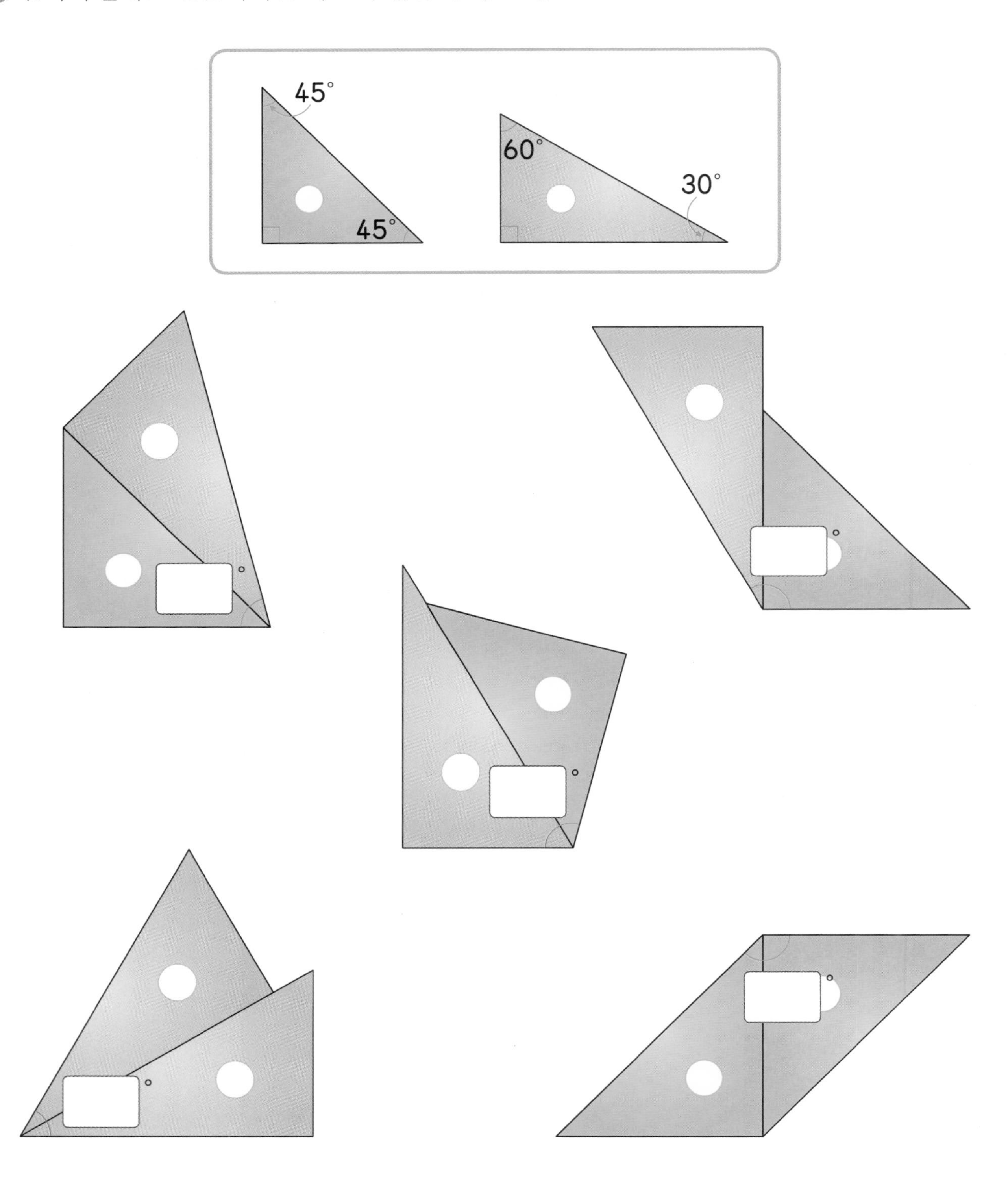

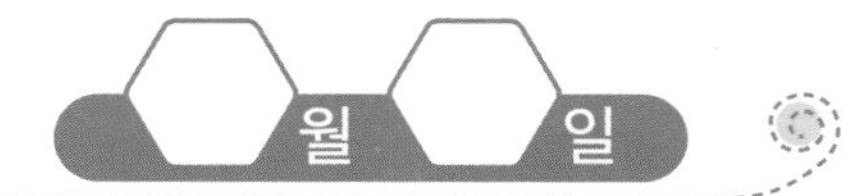

삼각자 2개로 만들어지는 각도의 차를 구해 보세요.

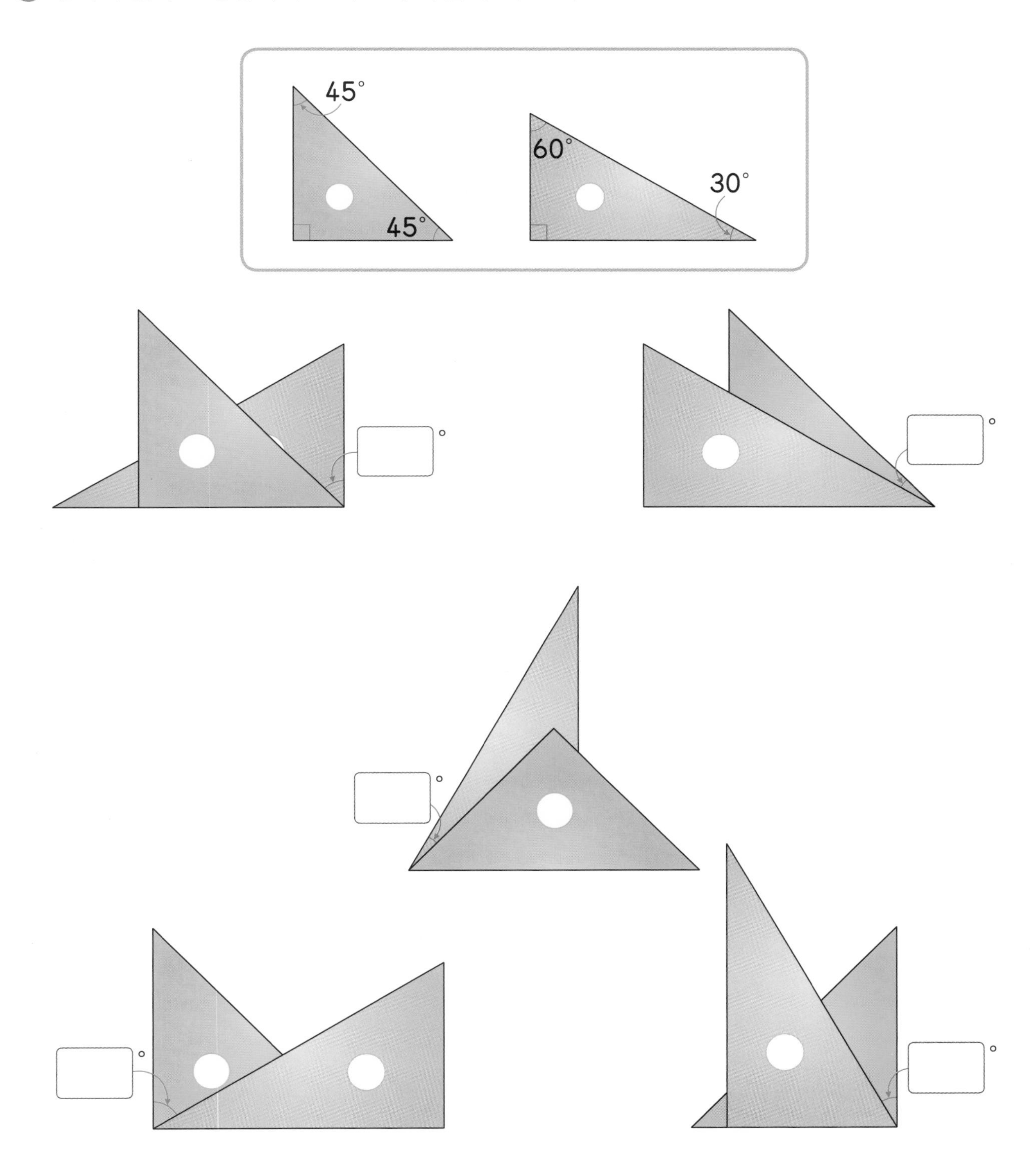

PLUS 3 삼각자로 만든 삼각형

똑같은 삼각자 2개를 이어 붙여 삼각형 ㄱㄴㄷ을 만들었습니다. 물음에 답하세요.

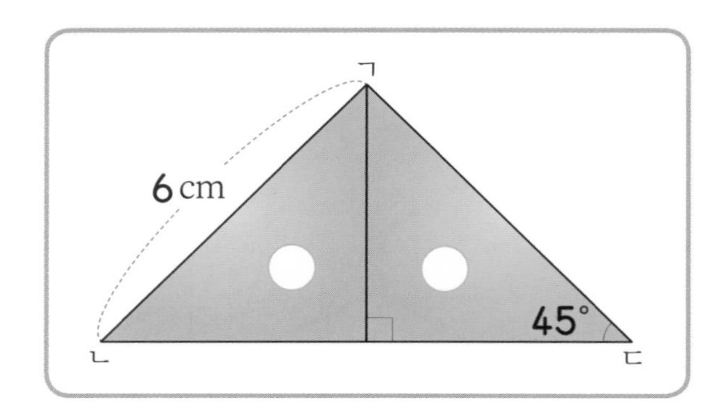

각 ㄴㄱㄷ의 크기는 몇 도인가요?

( )°

변 ㄱㄷ의 길이는 몇 cm인가요?

( )cm

삼각형 ㄱㄴㄷ의 이름이 될 수 있는 것에 모두 ◯표 하세요.

이등변삼각형	정삼각형	예각삼각형	직각삼각형	둔각삼각형

똑같은 삼각자 2개를 이어 붙여 삼각형 ㄱㄴㄷ을 만들었습니다. 물음에 답하세요.

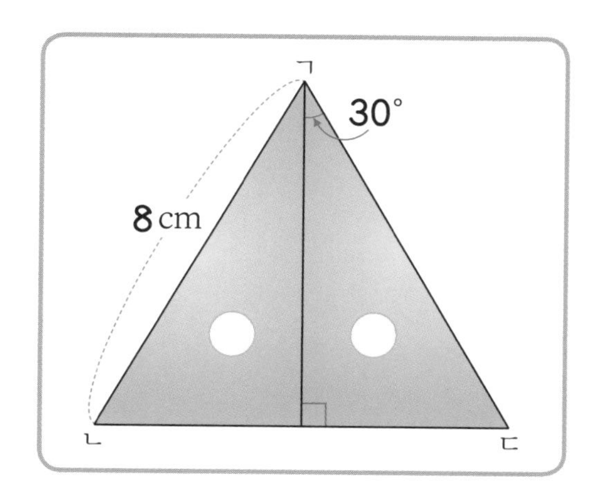

각 ㄴㄱㄷ의 크기는 몇 도인가요?

(　　　　　)°

변 ㄴㄷ의 길이는 몇 cm인가요?

(　　　　　)cm

삼각형 ㄱㄴㄷ의 이름이 될 수 있는 것에 모두 ○표 하세요.

이등변삼각형	정삼각형	예각삼각형	직각삼각형	둔각삼각형

memo

형성평가

형성평가 1회

1 삼각자에서 표시된 각 중에서 더 큰 각에 ◯표 하세요.

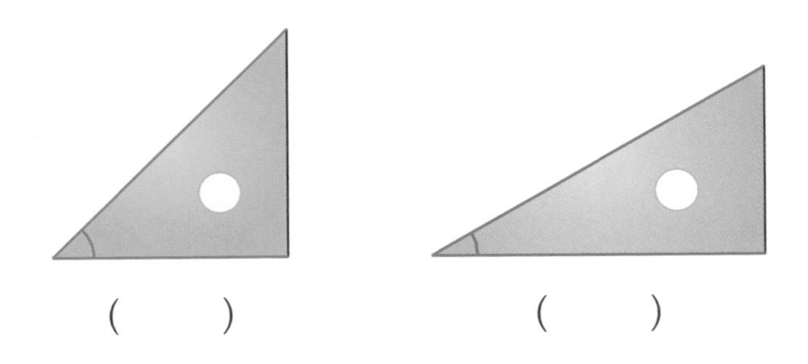

( ) ( )

2 각도기를 이용하여 모양 조각의 각도를 재어 보세요.

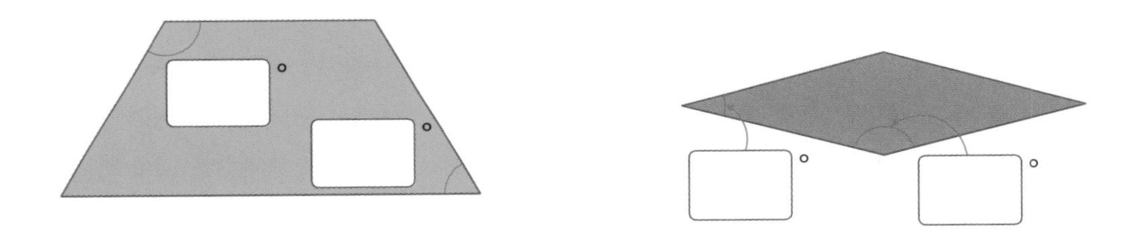

3 빈칸에 알맞은 수를 써넣으세요.

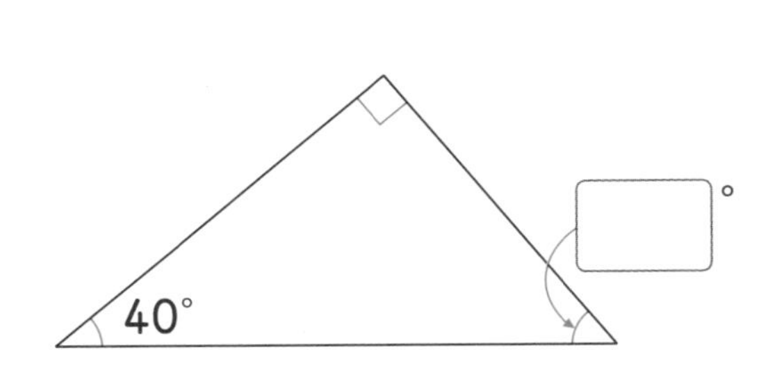

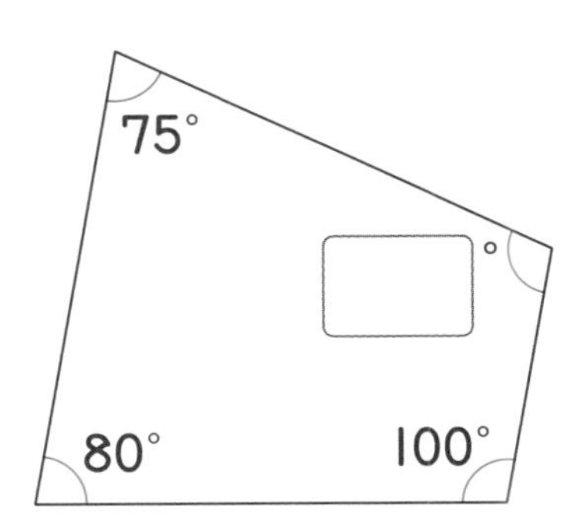

4 예각삼각형을 만들기 위해 • 표시된 꼭짓점을 옮겨야 하는 곳의 번호를 써 보세요.

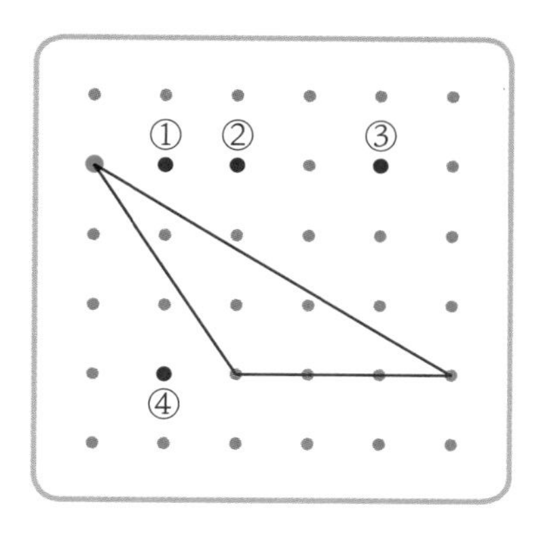

(　　　　)

5 조건에 맞는 삼각형을 그려 보세요.

• 둔각삼각형입니다.
• 두 변의 길이가 같습니다.

6 삼각형의 세 각의 크기가 다음과 같습니다. 삼각형의 이름이 될 수 있는 것에 모두 ◯표 하세요.

50°, 80°, 50°

이등변삼각형　정삼각형　예각삼각형　직각삼각형　둔각삼각형

형성평가 2회

1 예각은 모두 몇 개일까요?

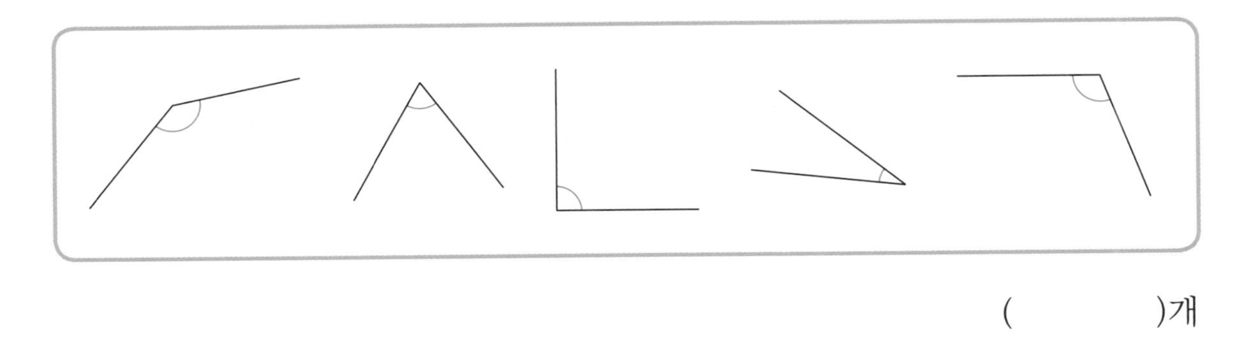

( )개

2 ㉠과 ㉡의 각도의 합은 몇 도일까요?

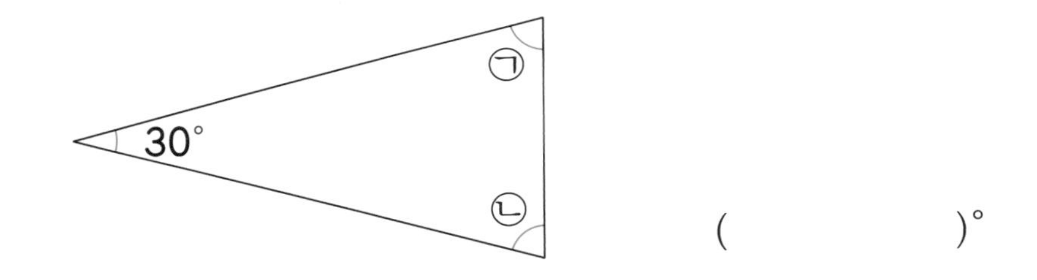

( )°

3 바르게 설명한 것에 ○표, 잘못 설명한 것에 ×표 하세요.

삼각형의 크기가 커질수록 삼각형의 세 각의 합도 커집니다. ········· ( )

각도가 70°, 85°, 75°, 130°인 사각형을 그릴 수 있습니다. ········· ( )

4 빈칸에 알맞은 수를 써넣으세요.

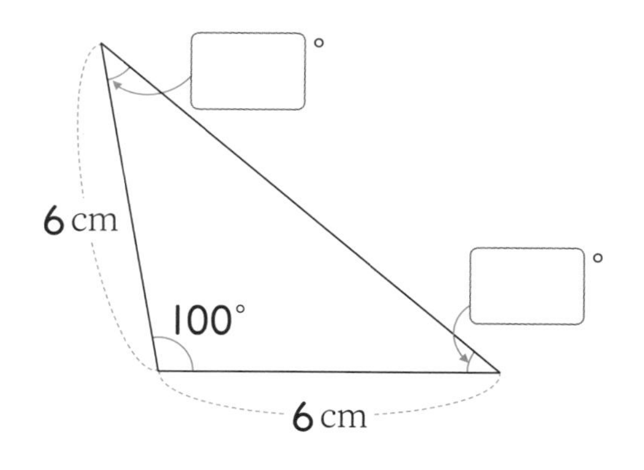

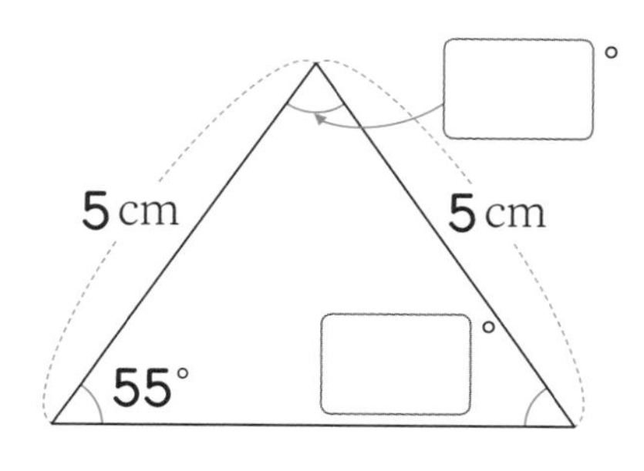

5 주어진 선분을 한 변으로 하면서 조건에 맞는 삼각형을 서로 크기가 다르도록 두 가지 방법으로 그려 보세요.

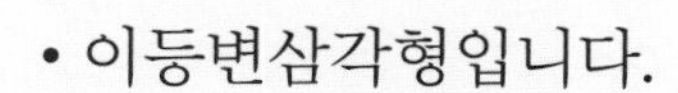
• 이등변삼각형입니다.

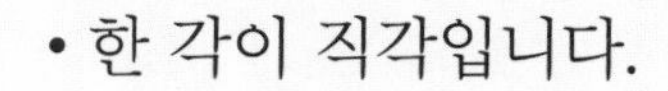
• 한 각이 직각입니다.

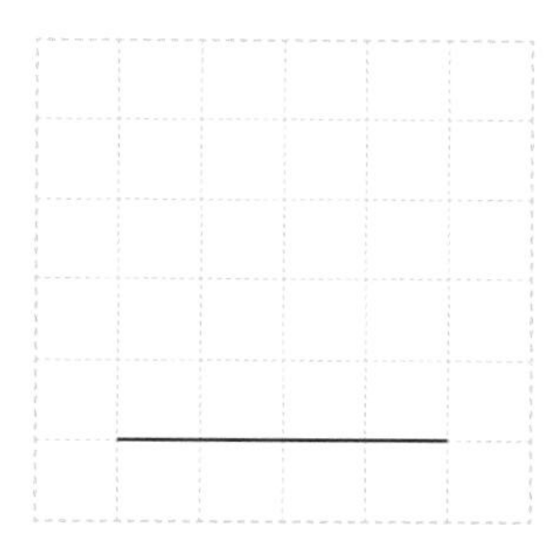

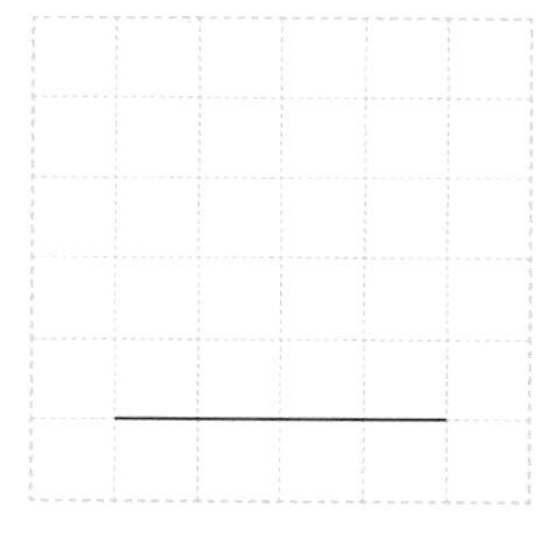

6 이등변삼각형 ㄱㄴㄷ의 세 변의 길이의 합이 25cm입니다. 변 ㄴㄷ의 길이는 몇 cm일까요?

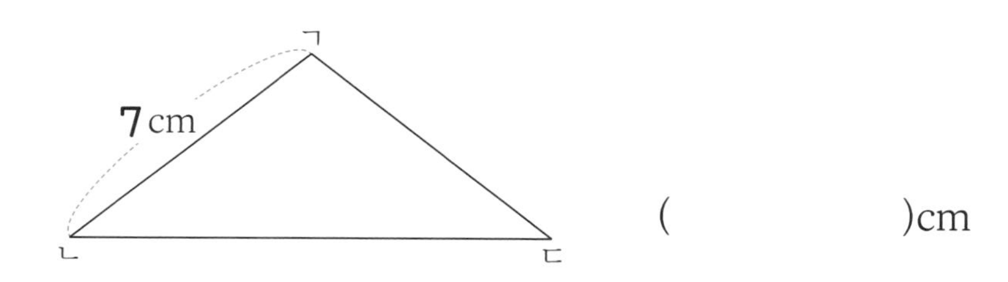

(   )cm

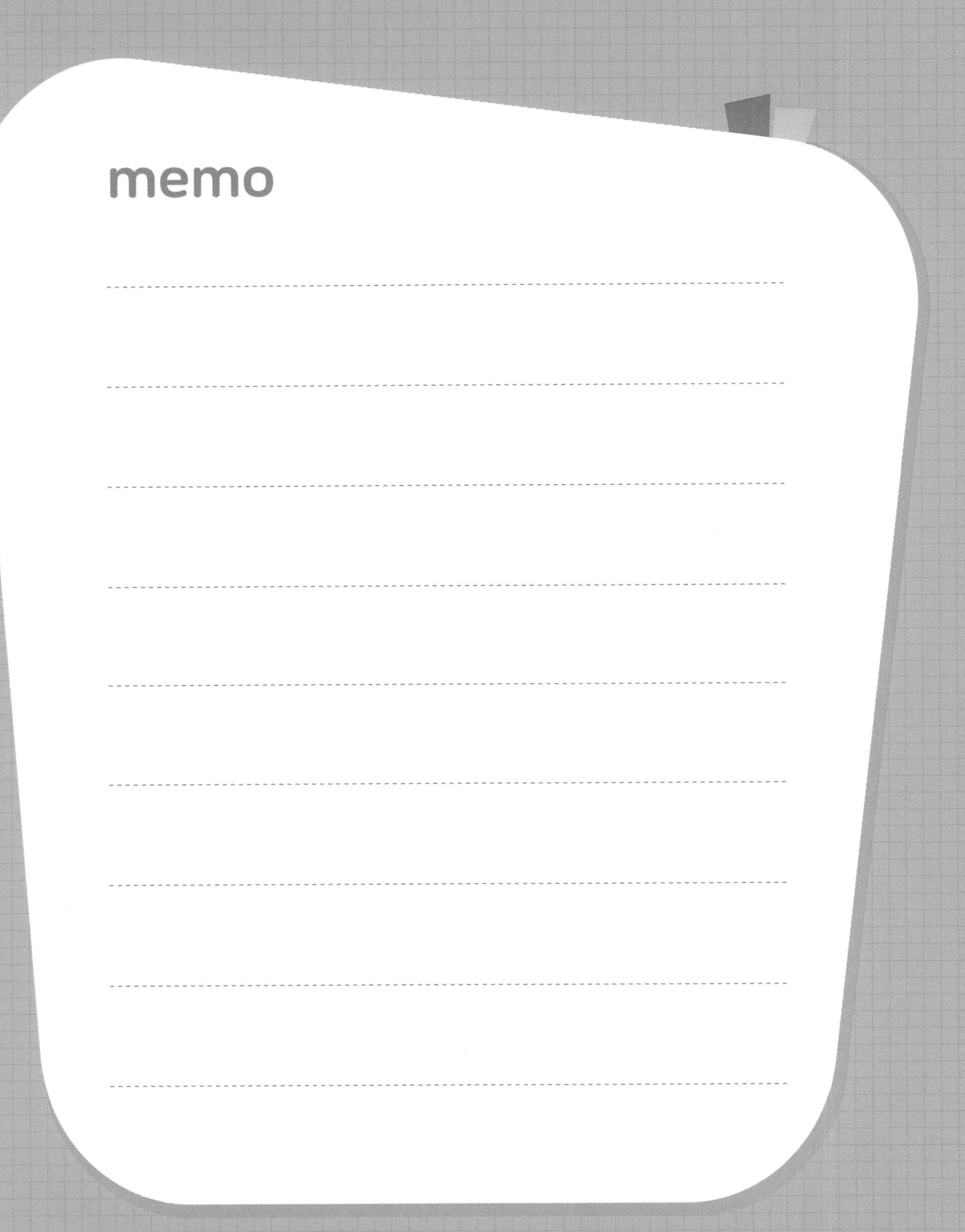
memo

하루 한 장 60일 집중 완성

교과도형

초4

D1

각도와 삼각형

정 답

D1
각도와 삼각형

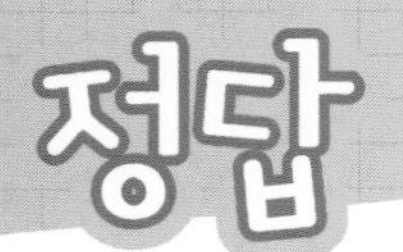

1주차 각의 크기

8쪽·9쪽

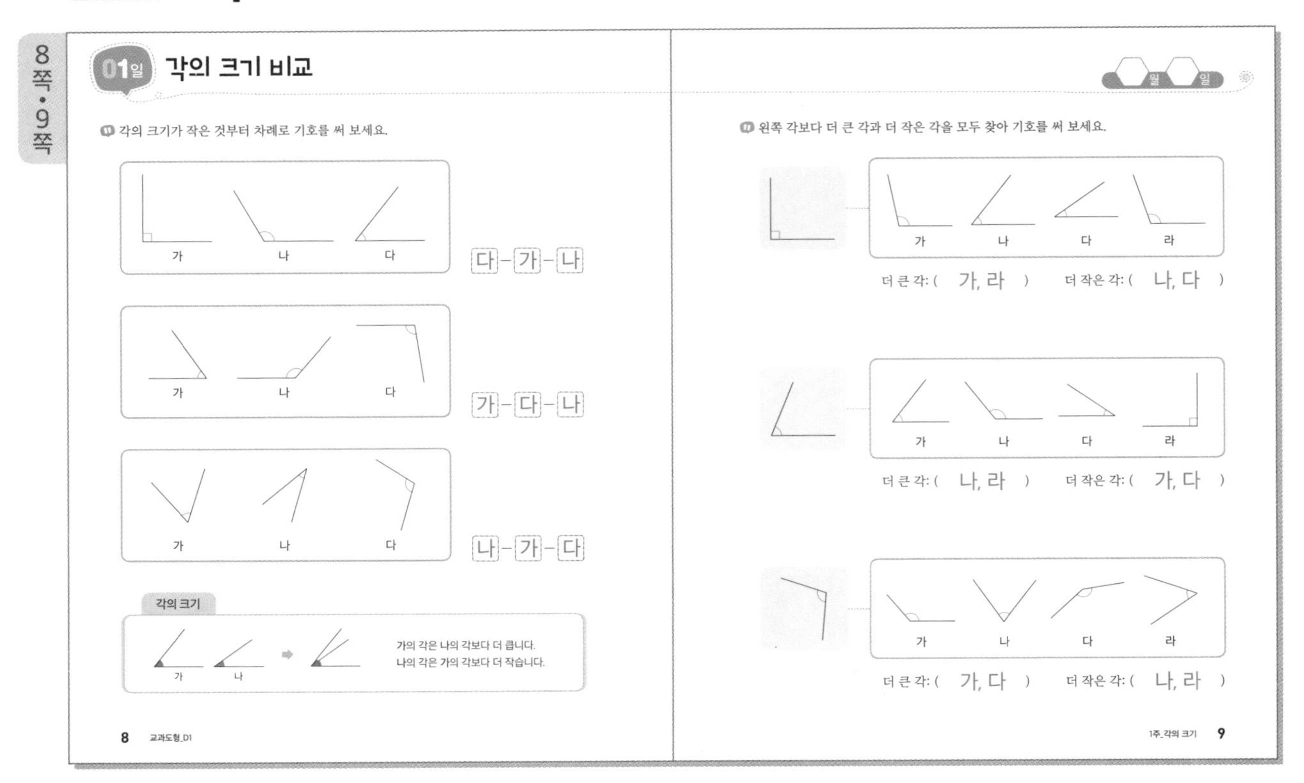

01일 각의 크기 비교

월 일

각의 크기가 작은 것부터 차례로 기호를 써 보세요.

가 나 다 — 다 - 가 - 나

가 나 다 — 가 - 다 - 나

가 나 다 — 나 - 가 - 다

각의 크기

가 나

가의 각은 나의 각보다 더 큽니다.
나의 각은 가의 각보다 더 작습니다.

왼쪽 각보다 더 큰 각과 더 작은 각을 모두 찾아 기호를 써 보세요.

가 나 다 라
더 큰 각: (가, 라) 더 작은 각: (나, 다)

가 나 다 라
더 큰 각: (나, 라) 더 작은 각: (가, 다)

가 나 다 라
더 큰 각: (가, 다) 더 작은 각: (나, 라)

8 교과도형_D1

1주_각의 크기 9

10쪽·11쪽

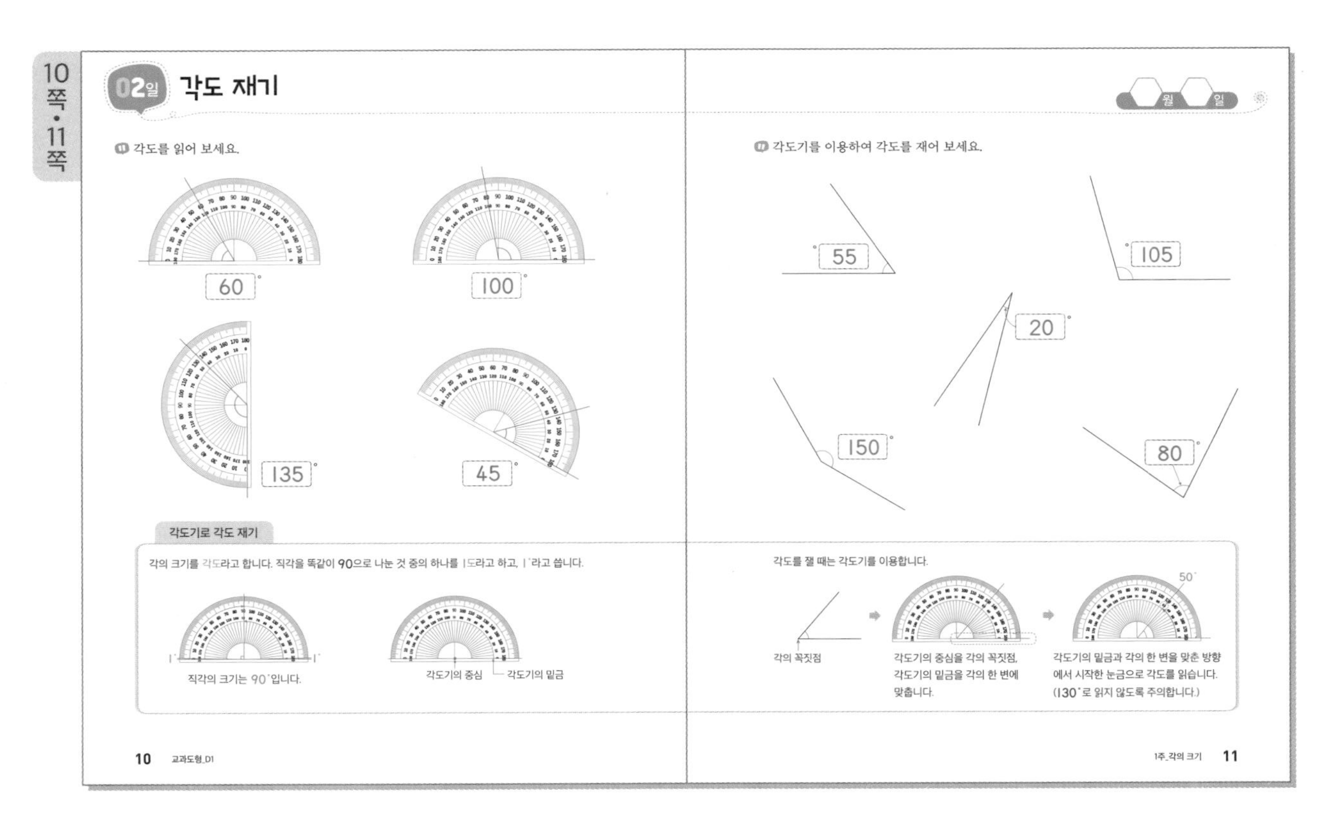

02일 각도 재기

월 일

각도를 읽어 보세요.

60°　100°　135°　45°

각도기로 각도 재기

각의 크기를 각도라고 합니다. 직각을 똑같이 90으로 나눈 것 중의 하나를 1도라고 하고, 1°라고 씁니다.

직각의 크기는 90°입니다.

각도기의 중심　각도기의 밑금

각도기를 이용하여 각도를 재어 보세요.

55°　105°　20°　150°　80°

각도를 잴 때는 각도기를 이용합니다.

각의 꼭짓점

각도기의 중심을 각의 꼭짓점, 각도기의 밑금을 각의 한 변에 맞춥니다.

각도기의 밑금과 각의 한 변을 맞춘 방향에서 시작한 눈금으로 각도를 읽습니다. (130°로 읽지 않도록 주의합니다.)

50°

10 교과도형_D1

1주_각의 크기 11

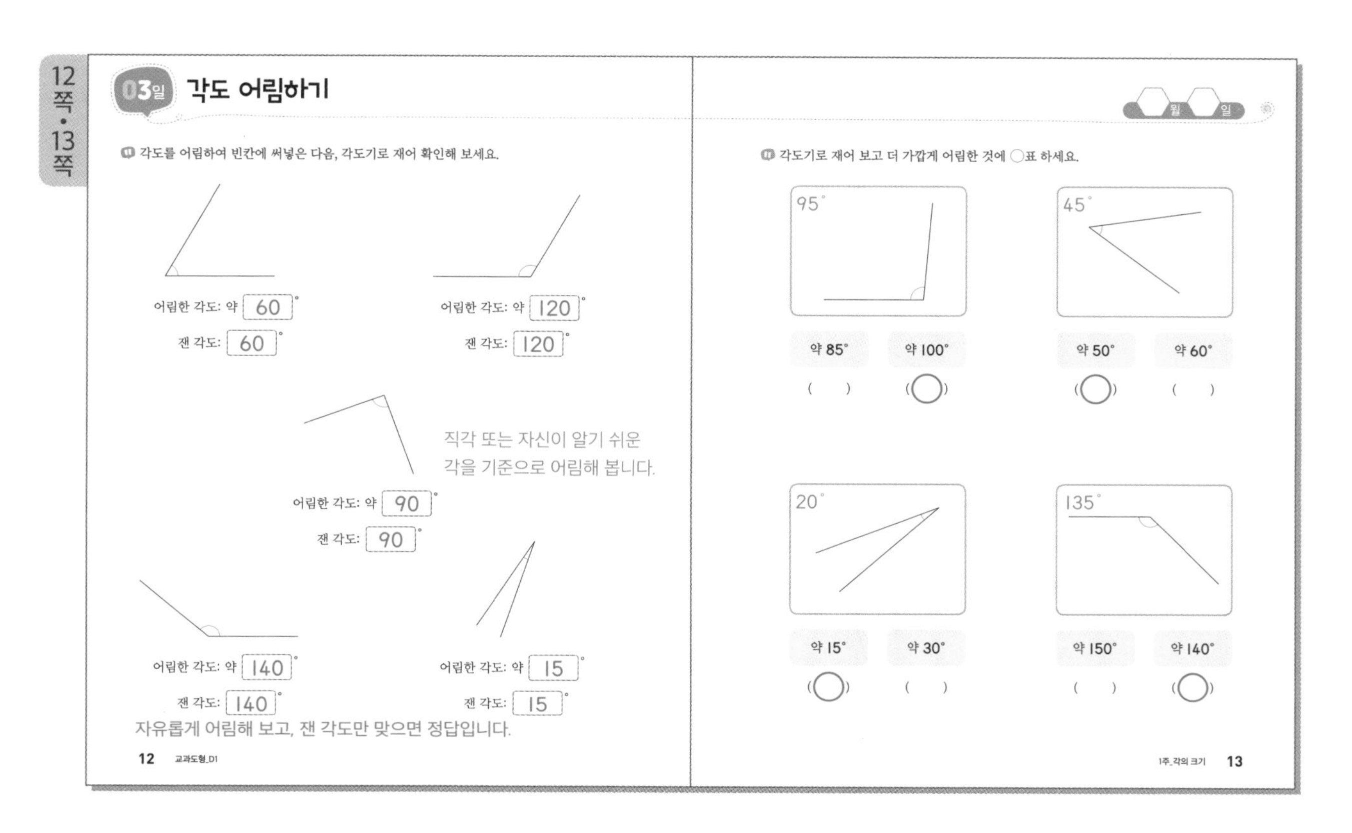
12쪽 • 13쪽

03일 각도 어림하기

월 일

각도를 어림하여 빈칸에 써넣은 다음, 각도기로 재어 확인해 보세요.

어림한 각도: 약 60°
잰 각도: 60°

어림한 각도: 약 120°
잰 각도: 120°

직각 또는 자신이 알기 쉬운 각을 기준으로 어림해 봅니다.

어림한 각도: 약 90°
잰 각도: 90°

어림한 각도: 약 140°
잰 각도: 140°

어림한 각도: 약 15°
잰 각도: 15°

자유롭게 어림해 보고, 잰 각도만 맞으면 정답입니다.

각도기로 재어 보고 더 가깝게 어림한 것에 ○표 하세요.

95°
약 85° ( ) 약 100° (○)

45°
약 50° (○) 약 60° ( )

20°
약 15° (○) 약 30° ( )

135°
약 150° ( ) 약 140° (○)

12 교과도형_D1 · 1주_각의 크기 13

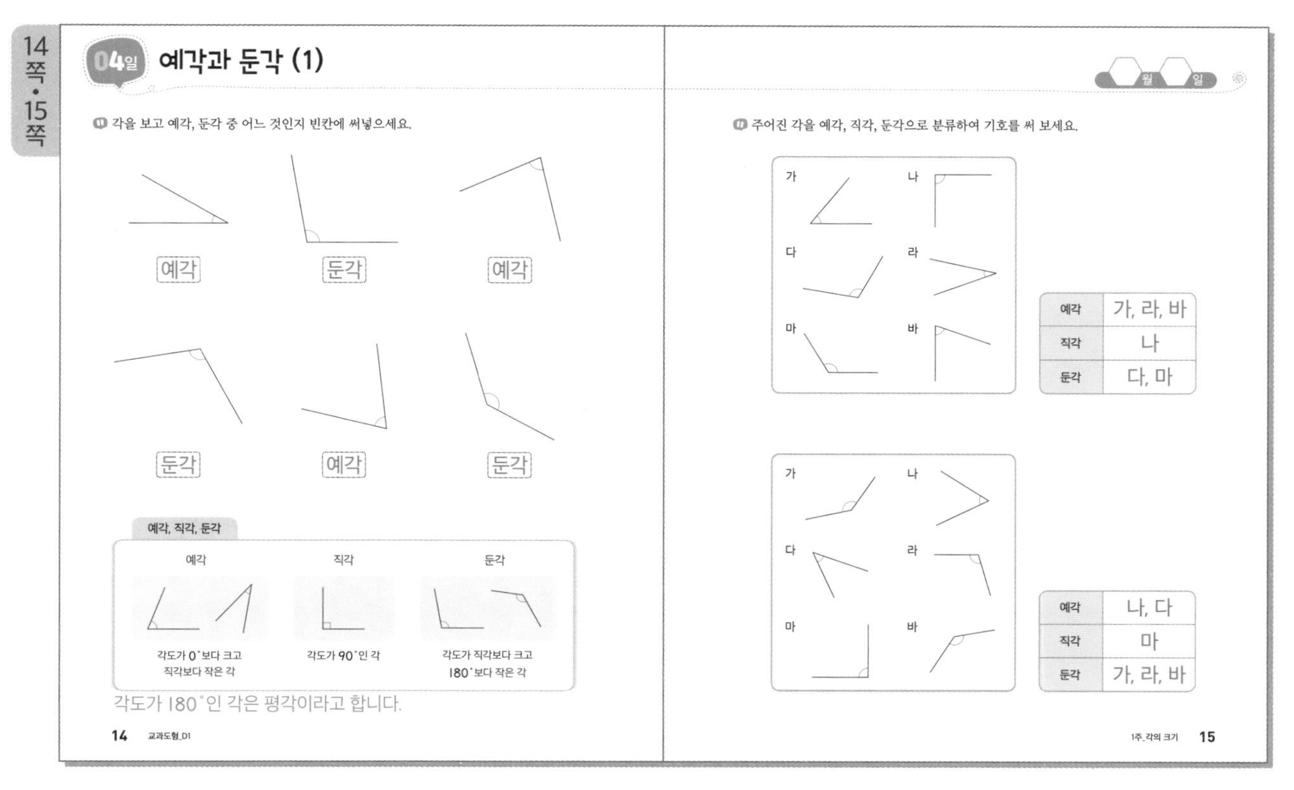
14쪽 • 15쪽

04일 예각과 둔각 (1)

월 일

각을 보고 예각, 둔각 중 어느 것인지 빈칸에 써넣으세요.

예각 · 둔각 · 예각

둔각 · 예각 · 둔각

예각, 직각, 둔각

예각: 각도가 0°보다 크고 직각보다 작은 각

직각: 각도가 90°인 각

둔각: 각도가 직각보다 크고 180°보다 작은 각

각도가 180°인 각은 평각이라고 합니다.

주어진 각을 예각, 직각, 둔각으로 분류하여 기호를 써 보세요.

예각	가, 라, 바
직각	나
둔각	다, 마

예각	나, 다
직각	마
둔각	가, 라, 바

14 교과도형_D1 · 1주_각의 크기 15

16쪽·17쪽

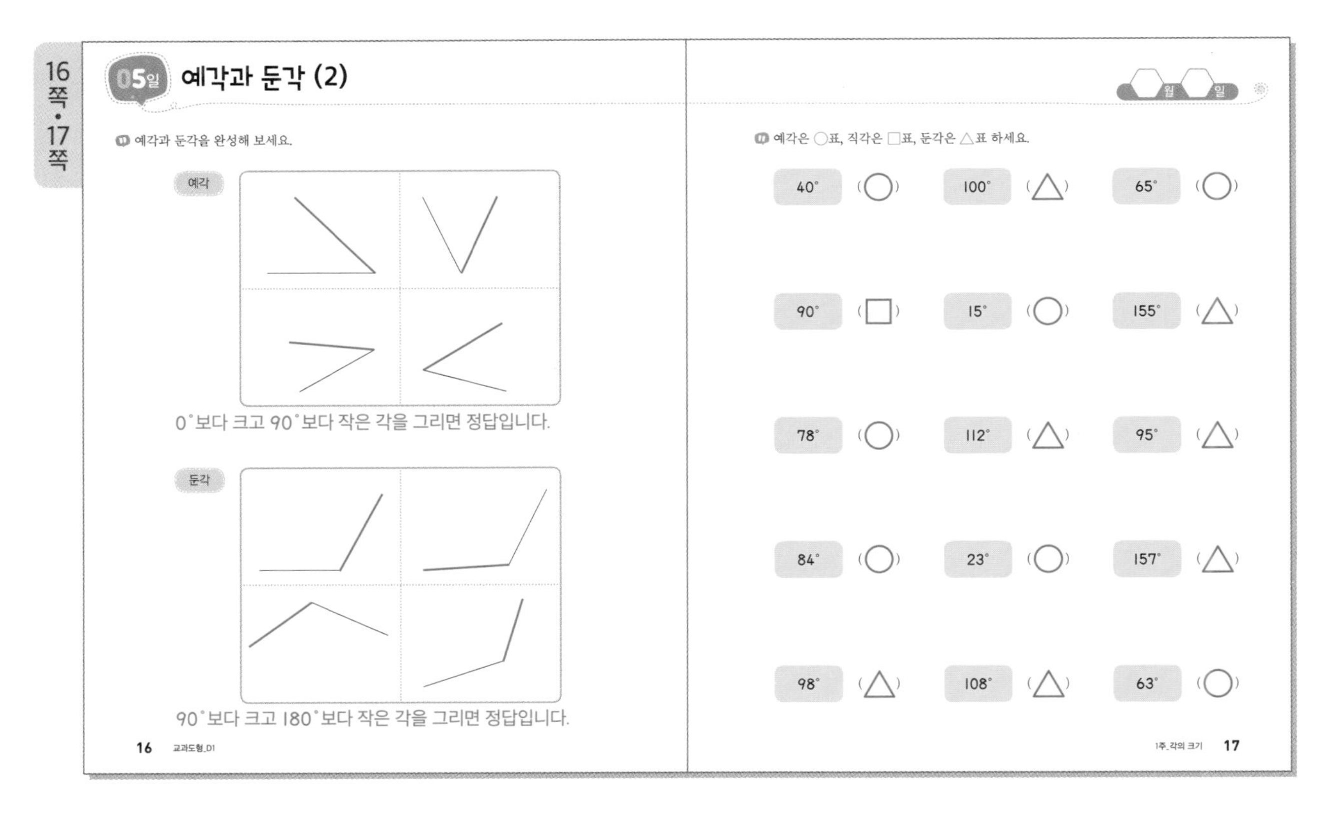

05일 예각과 둔각 (2)

월 일

1. 예각과 둔각을 완성해 보세요.

예각

0°보다 크고 90°보다 작은 각을 그리면 정답입니다.

둔각

90°보다 크고 180°보다 작은 각을 그리면 정답입니다.

2. 예각은 ○표, 직각은 □표, 둔각은 △표 하세요.

40°	(○)	100°	(△)	65°	(○)
90°	(□)	15°	(○)	155°	(△)
78°	(○)	112°	(△)	95°	(△)
84°	(○)	23°	(○)	157°	(△)
98°	(△)	108°	(△)	63°	(○)

16 교과도형_D1

1주_각의 크기 17

18쪽

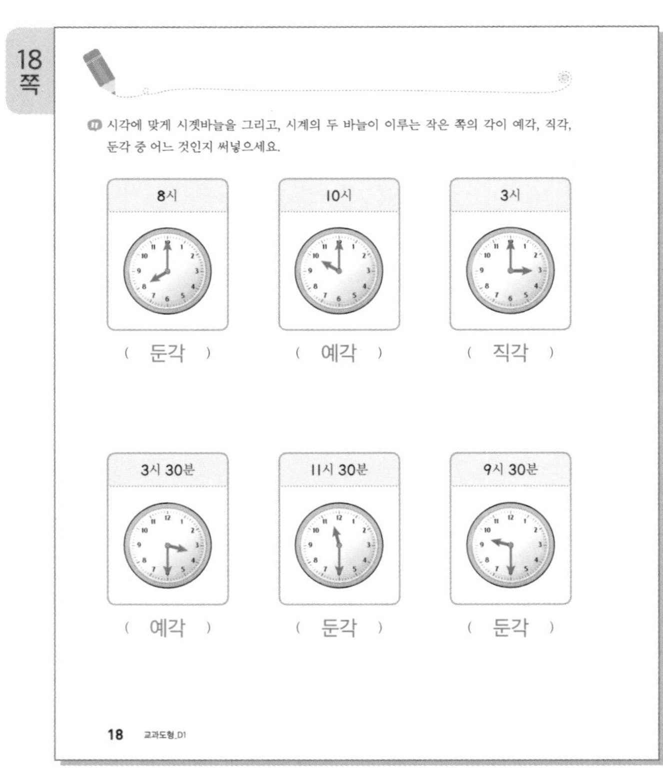

3. 시각에 맞게 시곗바늘을 그리고, 시계의 두 바늘이 이루는 작은 쪽의 각이 예각, 직각, 둔각 중 어느 것인지 써넣으세요.

8시	10시	3시
(둔각)	(예각)	(직각)

3시 30분	11시 30분	9시 30분
(예각)	(둔각)	(둔각)

18 교과도형_D1

2주차 각도의 합

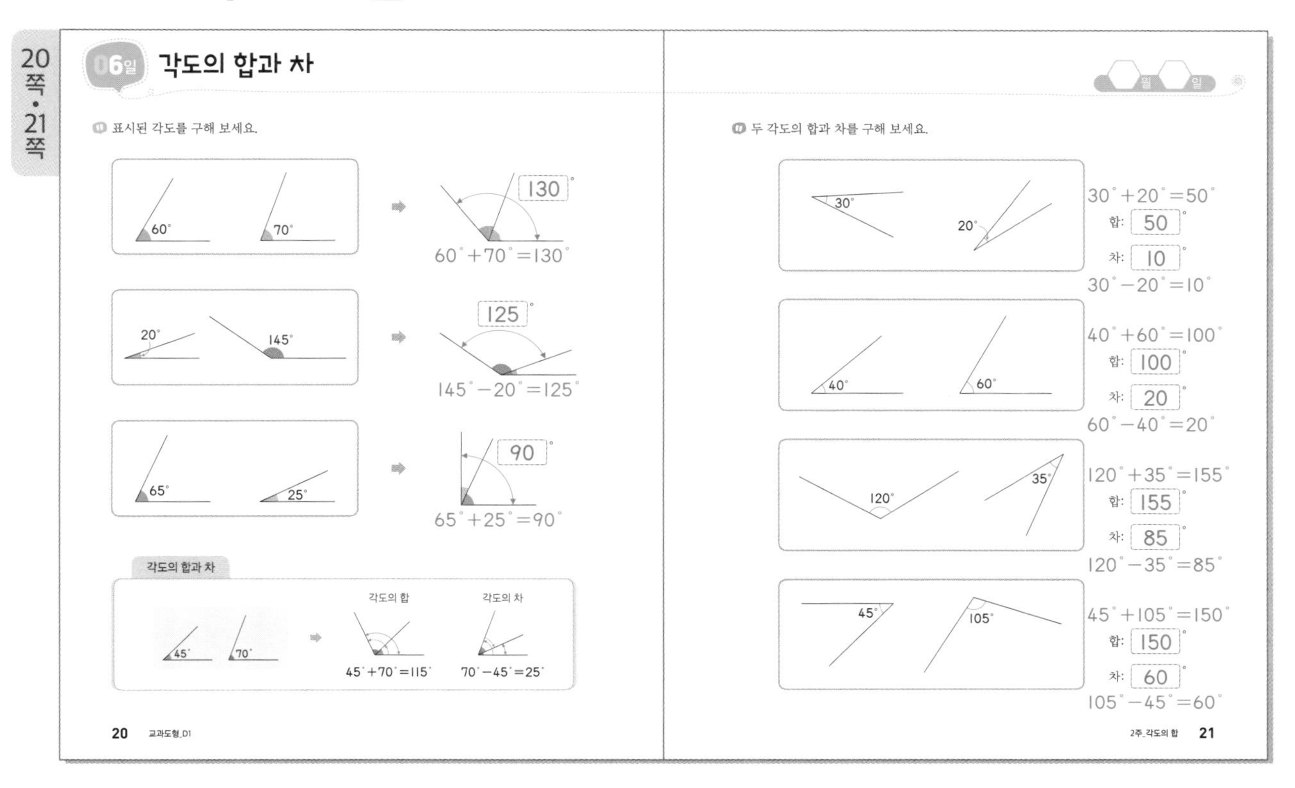
20쪽·21쪽
06일 각도의 합과 차
표시된 각도를 구해 보세요.
60° 70° 130° 60°+70°=130°
20° 145° 125° 145°−20°=125°
65° 25° 90° 65°+25°=90°
각도의 합과 차
45° 70° 각도의 합 45°+70°=115° 각도의 차 70°−45°=25°
두 각도의 합과 차를 구해 보세요.
30° 20° 30°+20°=50° 합: 50° 차: 10° 30°−20°=10°
40° 60° 40°+60°=100° 합: 100° 차: 20° 60°−40°=20°
120° 35° 120°+35°=155° 합: 155° 차: 85° 120°−35°=85°
45° 105° 45°+105°=150° 합: 150° 차: 60° 105°−45°=60°
20 교과도형_D1
2주_각도의 합 21

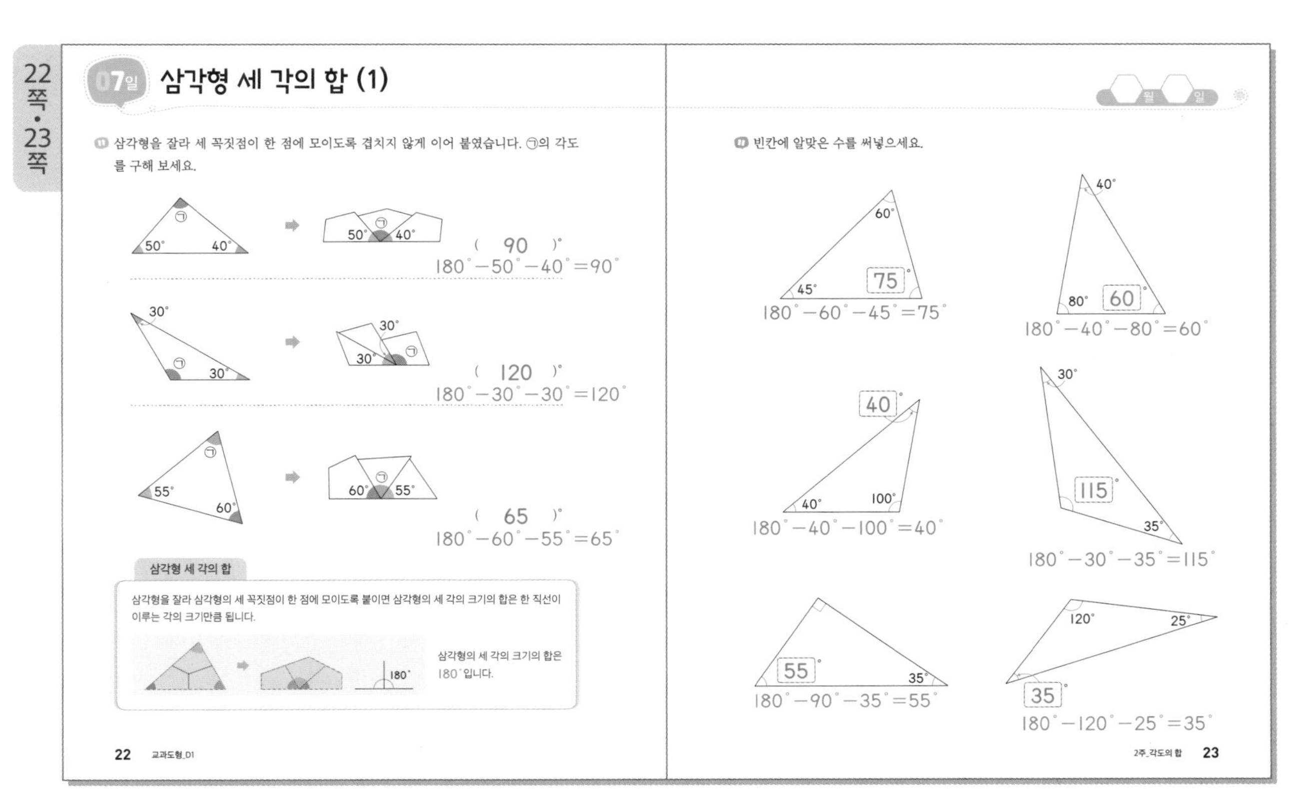
22쪽·23쪽
07일 삼각형 세 각의 합 (1)
삼각형을 잘라 세 꼭짓점이 한 점에 모이도록 겹치지 않게 이어 붙였습니다. ㉠의 각도를 구해 보세요.
50° 40° (90)° 180°−50°−40°=90°
30° 30° (120)° 180°−30°−30°=120°
55° 60° (65)° 180°−60°−55°=65°
삼각형 세 각의 합
삼각형을 잘라 삼각형의 세 꼭짓점이 한 점에 모이도록 붙이면 삼각형의 세 각의 크기의 합은 한 직선이 이루는 각의 크기만큼 됩니다.
삼각형의 세 각의 크기의 합은 180°입니다.
빈칸에 알맞은 수를 써넣으세요.
60° 45° 75° 180°−60°−45°=75°
40° 80° 60° 180°−40°−80°=60°
40° 40° 100° 180°−40°−100°=40°
30° 115° 35° 180°−30°−35°=115°
55° 35° 180°−90°−35°=55°
120° 25° 35° 180°−120°−25°=35°
22 교과도형_D1
2주_각도의 합 23

24쪽·25쪽

08일 삼각형 세 각의 합 (2)

월 일

11 빈칸에 알맞은 수를 써넣으세요.

60°, 150°, ㉠
㉠=180°−150°=30°
□°=180°−90°−30°=60°

40°, 60°, ㉠, 100°
㉠=180°−40°−60°=80°
□°=180°−80°=100°

50°, 110°, ㉠, 60°
㉠=180°−110°=70°
□°=180°−60°−70°=50°

110°, 35°, ㉠, 145°
㉠=180°−110°−35°=35°
□°=180°−35°=145°

25°, 140°, ㉠, 115°
㉠=180°−140°=40°
□°=180°−115°−40°=25°

30°, 60°, ㉠, 30°
㉠=180°−30°−30°=120°
□°=180°−120°=60°

12 물음에 답하세요.

㉠과 ㉡의 각도의 합은 몇 도일까요?

(120)°

㉠+㉡=180°−60°=120°

○로 표시된 각 3개의 크기가 같습니다. ㉠의 각도는 몇 도일까요?

(105)°

○+○+○=180°−45°−45°=90°
○=30°
㉠=180°−45°−30°=105°

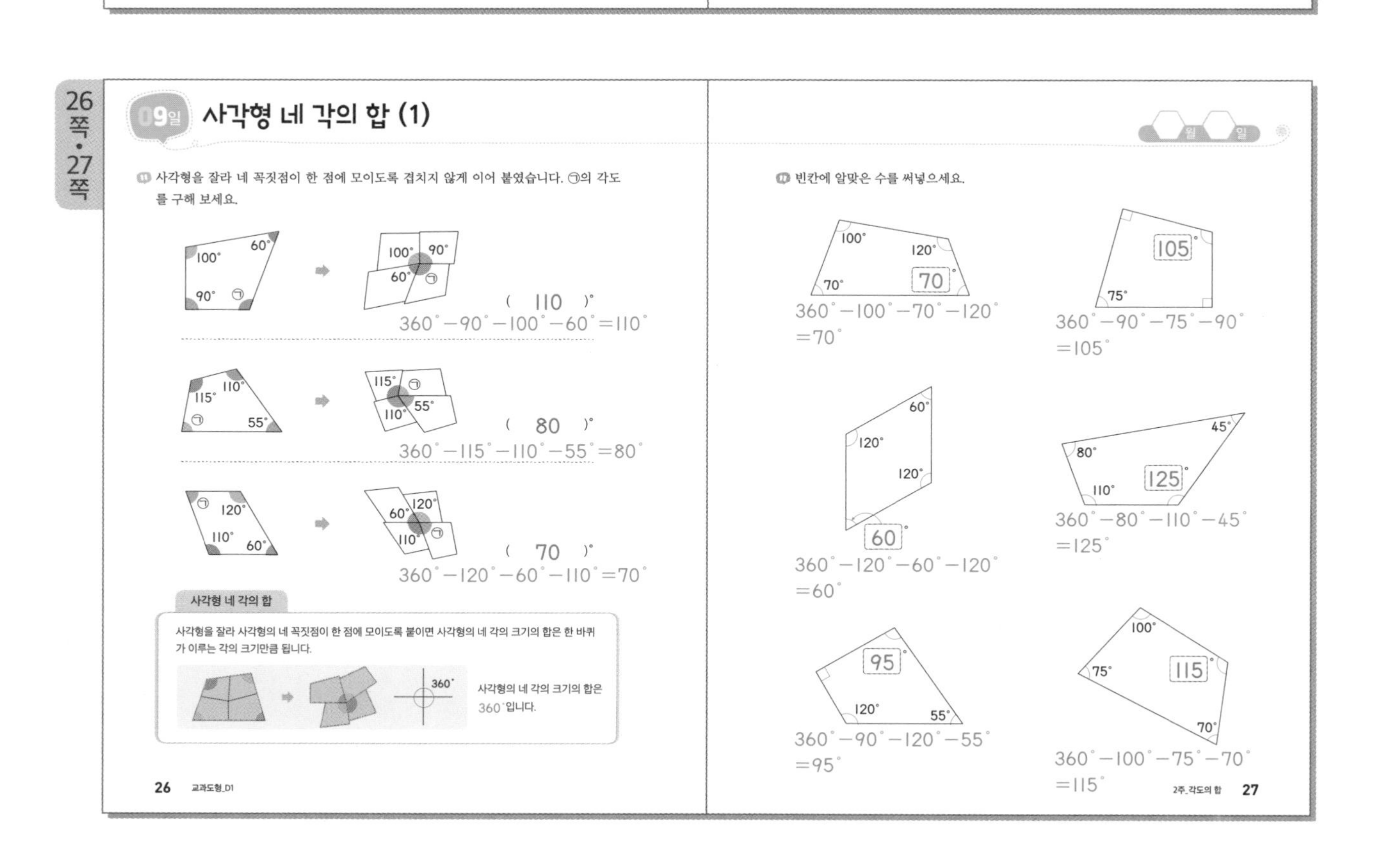
26쪽·27쪽

09일 사각형 네 각의 합 (1)

월 일

11 사각형을 잘라 네 꼭짓점이 한 점에 모이도록 겹치지 않게 이어 붙였습니다. ㉠의 각도를 구해 보세요.

(110)°
360°−90°−100°−60°=110°

(80)°
360°−115°−110°−55°=80°

(70)°
360°−120°−60°−110°=70°

사각형 네 각의 합

사각형을 잘라 사각형의 네 꼭짓점이 한 점에 모이도록 붙이면 사각형의 네 각의 크기의 합은 한 바퀴가 이루는 각의 크기만큼 됩니다.

사각형의 네 각의 크기의 합은 360°입니다.

12 빈칸에 알맞은 수를 써넣으세요.

70
360°−100°−70°−120°
=70°

105
360°−90°−75°−90°
=105°

60
360°−120°−60°−120°
=60°

125
360°−80°−110°−45°
=125°

95
360°−90°−120°−55°
=95°

115
360°−100°−75°−70°
=115°

26 교과도형_D1 / 2주_각도의 합 27

28쪽·29쪽

10일 사각형 네 각의 합 (2)

11 빈칸에 알맞은 수를 써넣으세요.

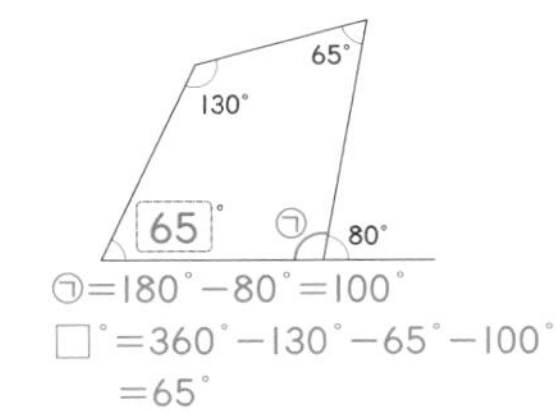

㉠=180°−80°=100°

□°=360°−130°−65°−100°
=65°

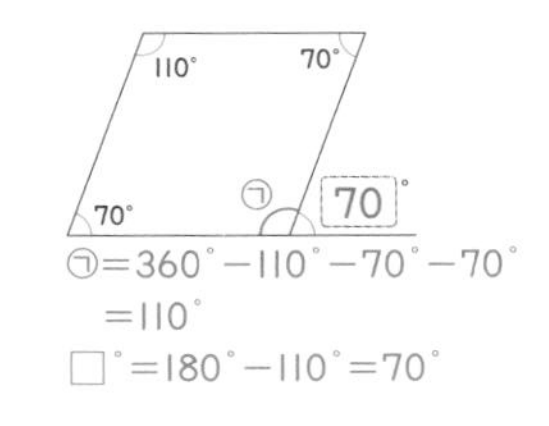

㉠=360°−110°−70°−70°
=110°

□°=180°−110°=70°

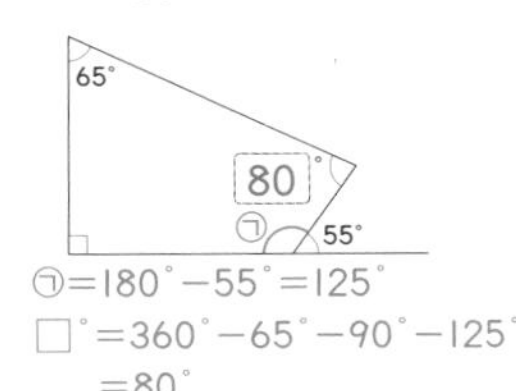

㉠=180°−55°=125°

□°=360°−65°−90°−125°
=80°

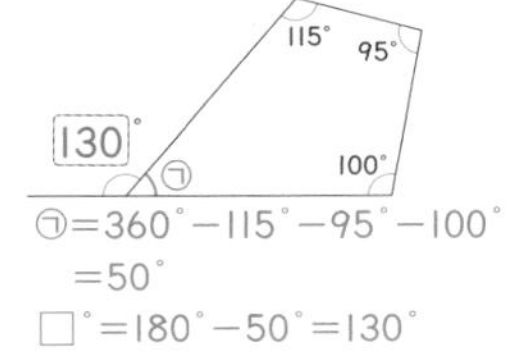

㉠=360°−115°−95°−100°
=50°

□°=180°−50°=130°

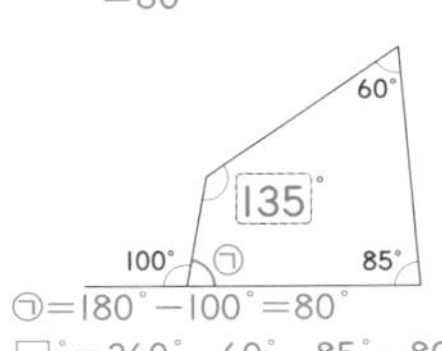

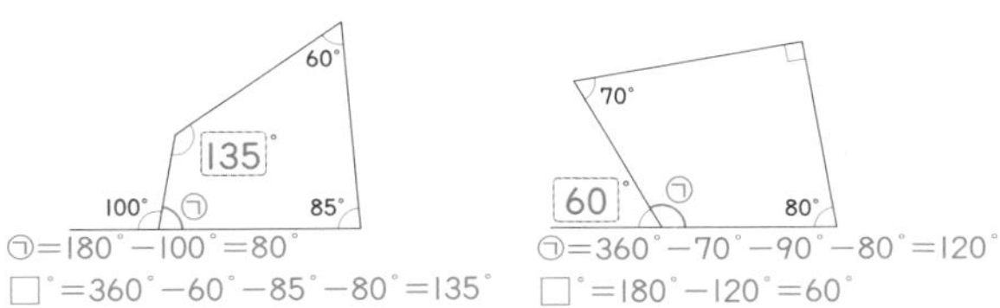

㉠=180°−100°=80°

□°=360°−60°−85°−80°=135°

㉠=360°−70°−90°−80°=120°

□°=180°−120°=60°

12 물음에 답하세요.

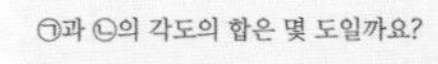

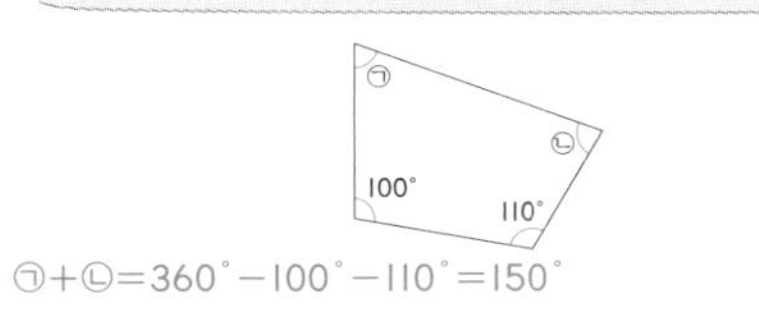

(150)°

㉠+㉡=360°−100°−110°=150°

삼각형 2개를 이어 붙여 사각형을 만들었습니다. ㉠의 각도는 몇 도일까요?

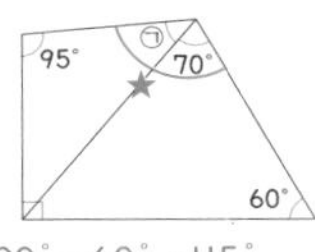

(45)°

★=360°−95°−90°−60°=115°

㉠=115°−70°=45°

30쪽

13 물음에 답하세요.

삼각형 세 각의 크기를 잘못 잰 사람은 누구이고, 잘못 잰 이유를 써 보세요.

현우	서연
30°, 70°, 80°	35°, 80°, 75°

잘못 잰 사람 (서연) (서연이가 잰 각도의 합은 190°로 180°가 아니라면 말이 있으면 정답입니다.)

잘못 잰 이유 예 삼각형 세 각의 크기의 합은 180°인데 서연이가 잰 삼각형 세 각의 크기의 합은 35°+80°+75° =190°이므로 잘못 재었습니다.

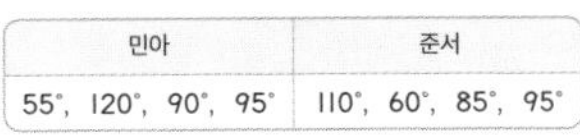

민아	준서
55°, 120°, 90°, 95°	110°, 60°, 85°, 95°

잘못 잰 사람 (준서) (준서가 잰 각도의 합은 350°로 360°가 아니라면 말이 있으면 정답입니다.)

잘못 잰 이유 예 사각형 네 각의 크기의 합은 360°인데 준서가 잰 사각형 네 각의 크기의 합은 110°+60°+85°+95° =350°이므로 잘못 재었습니다.

3주차 변의 길이와 삼각형

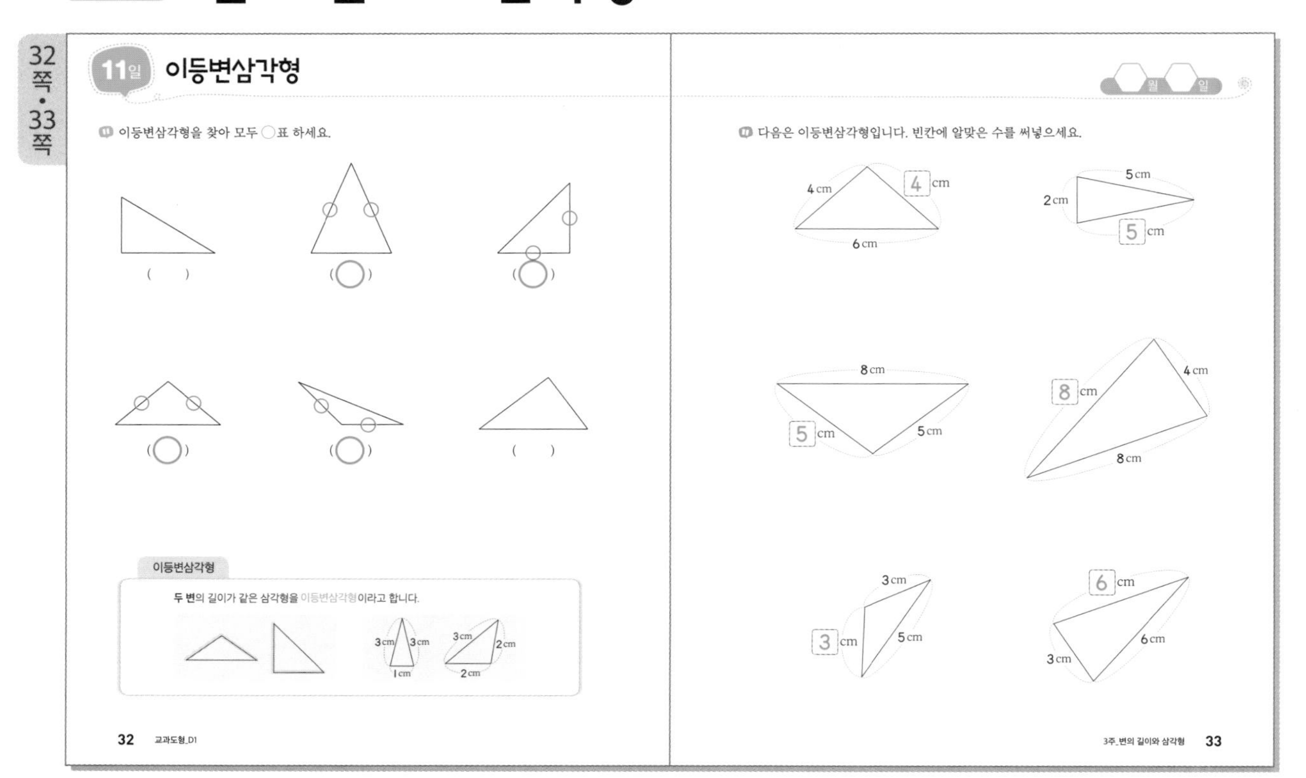

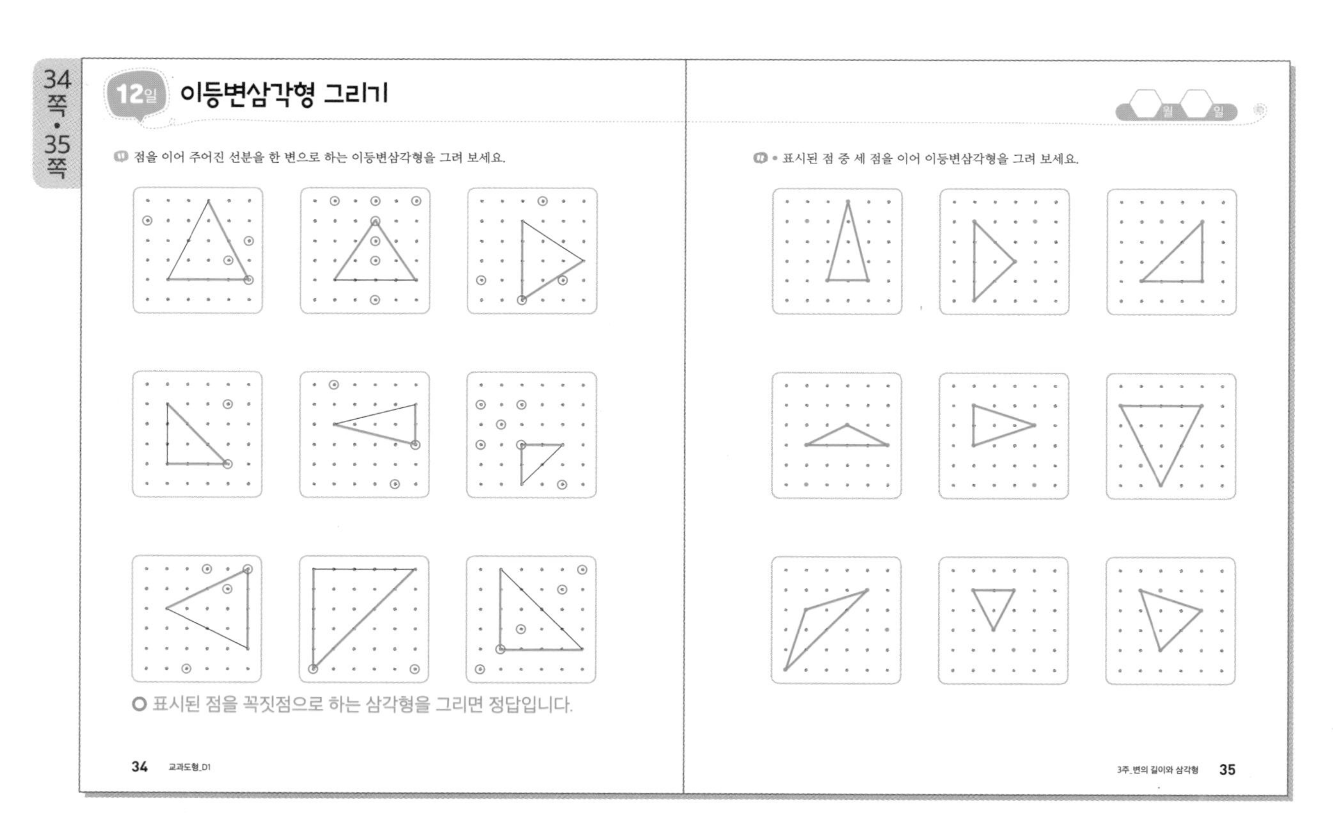

34쪽·35쪽
12일 이등변삼각형 그리기
점을 이어 주어진 선분을 한 변으로 하는 이등변삼각형을 그려 보세요.
○ 표시된 점을 꼭짓점으로 하는 삼각형을 그리면 정답입니다.
• 표시된 점 중 세 점을 이어 이등변삼각형을 그려 보세요.
34 교과도형_D1
3주_변의 길이와 삼각형 35

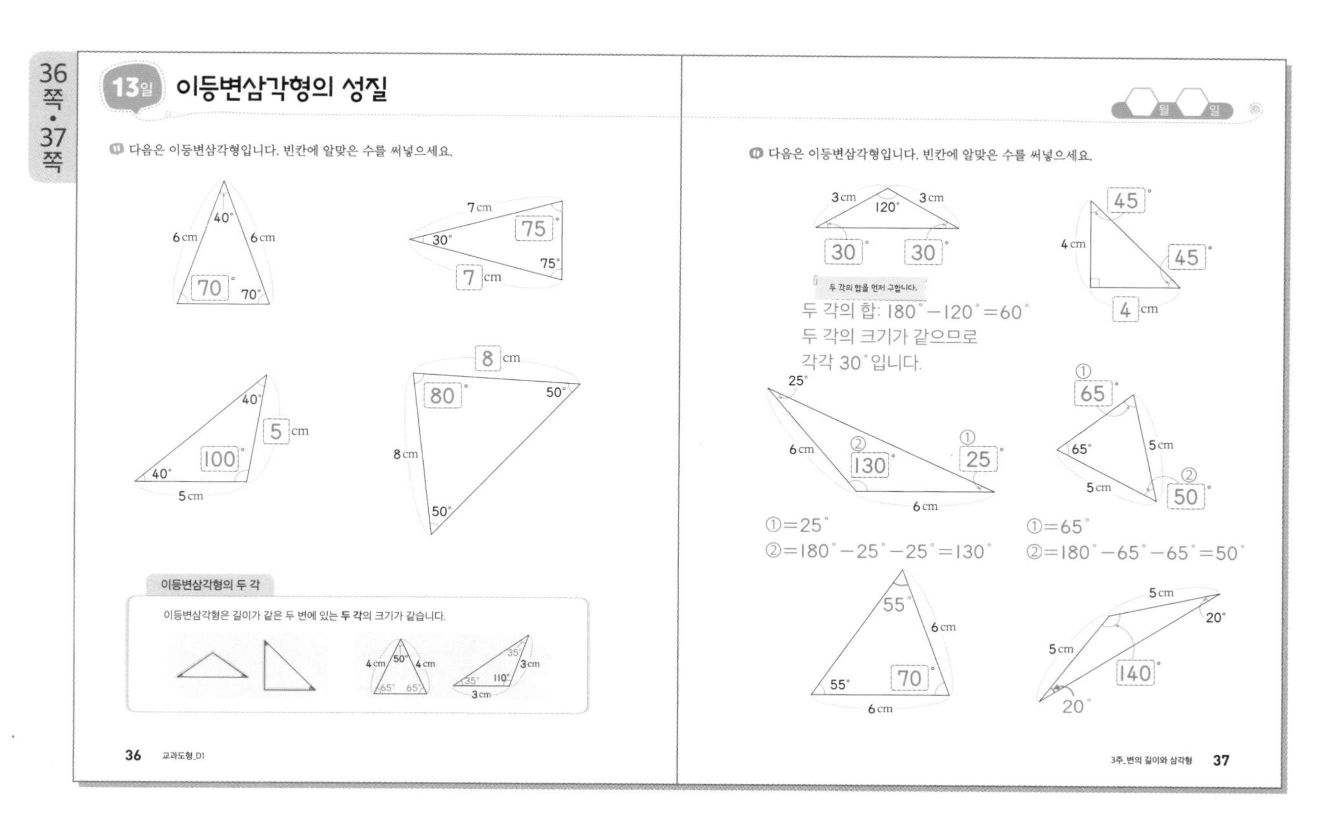
36쪽·37쪽
13일 이등변삼각형의 성질
다음은 이등변삼각형입니다. 빈칸에 알맞은 수를 써넣으세요.
이등변삼각형의 두 각
이등변삼각형은 길이가 같은 두 변에 있는 두 각의 크기가 같습니다.
두 각의 합을 먼저 구합니다.
두 각의 합: 180°−120°=60°
두 각의 크기가 같으므로
각각 30°입니다.
①=25°
②=180°−25°−25°=130°
①=65°
②=180°−65°−65°=50°
36 교과도형_D1
3주_변의 길이와 삼각형 37

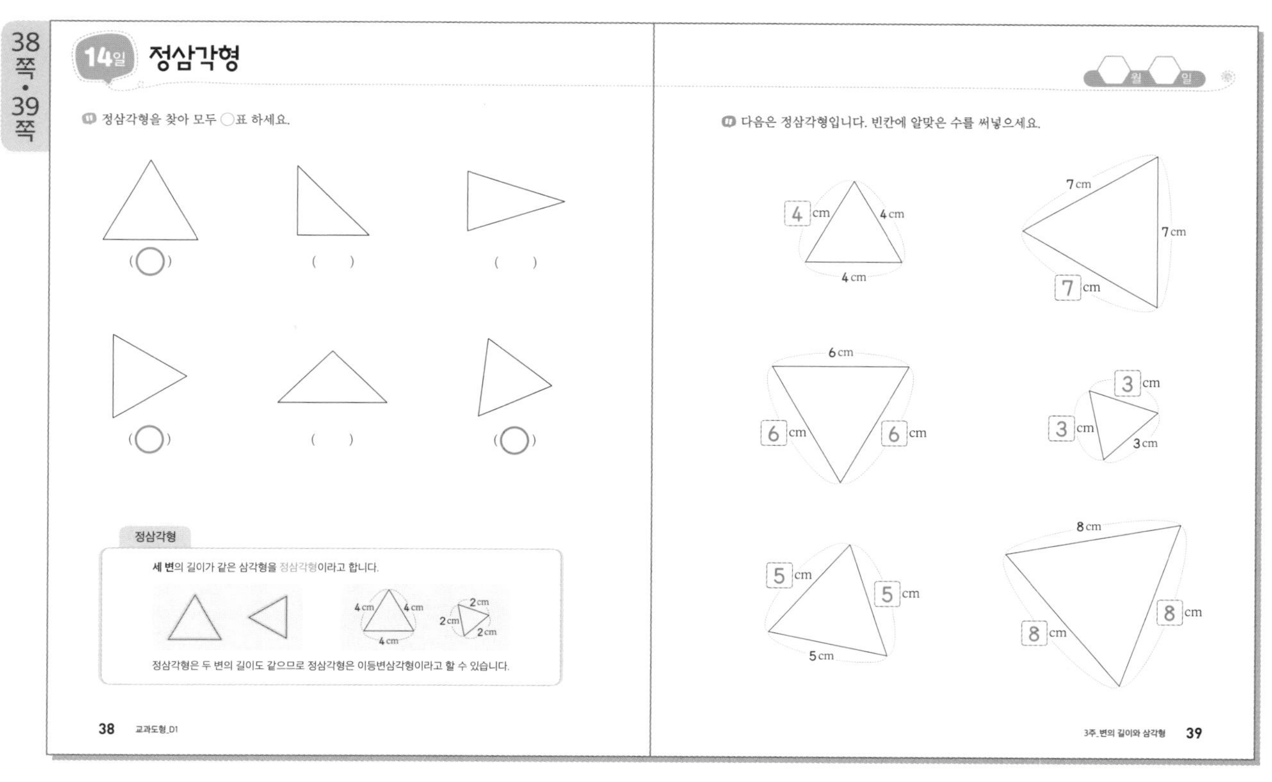
38쪽·39쪽
14일 정삼각형
정삼각형을 찾아 모두 ○표 하세요.
정삼각형
세 변의 길이가 같은 삼각형을 정삼각형이라고 합니다.
정삼각형은 두 변의 길이도 같으므로 정삼각형은 이등변삼각형이라고 할 수 있습니다.
다음은 정삼각형입니다. 빈칸에 알맞은 수를 써넣으세요.
38 교과도형_D1
3주_변의 길이와 삼각형 39

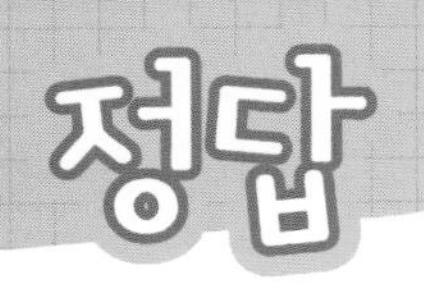

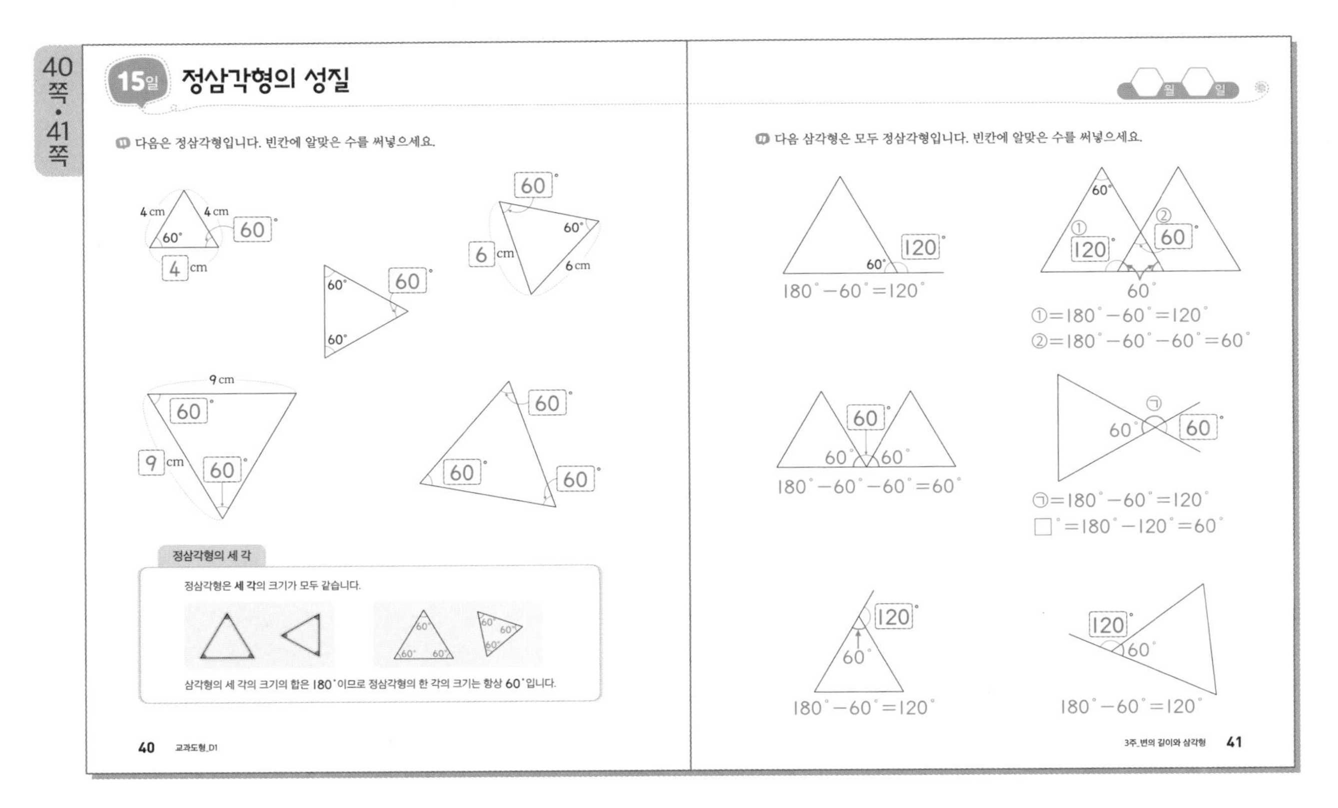

40쪽·41쪽

15일 정삼각형의 성질

다음은 정삼각형입니다. 빈칸에 알맞은 수를 써넣으세요.

4 cm, 4 cm, 60°, [60]°, [4] cm

60°, 60°, [60]°

[60]°, 60°, [6] cm, 6 cm

9 cm, [60]°, [9] cm, [60]°

[60]°, [60]°, [60]°

정삼각형의 세 각

정삼각형은 **세 각**의 크기가 모두 같습니다.

삼각형의 세 각의 크기의 합은 180°이므로 정삼각형의 한 각의 크기는 항상 60°입니다.

40 교과도형_D1

다음 삼각형은 모두 정삼각형입니다. 빈칸에 알맞은 수를 써넣으세요.

60°, [120]°

$180° - 60° = 120°$

60°, ① [120]°, ② [60]°, 60°

$① = 180° - 60° = 120°$

$② = 180° - 60° - 60° = 60°$

[60]°, 60°, 60°

$180° - 60° - 60° = 60°$

㉠, 60°, [60]°

$㉠ = 180° - 60° = 120°$

$□° = 180° - 120° = 60°$

[120]°, 60°

$180° - 60° = 120°$

[120]°, 60°

$180° - 60° = 120°$

3주_변의 길이와 삼각형 41

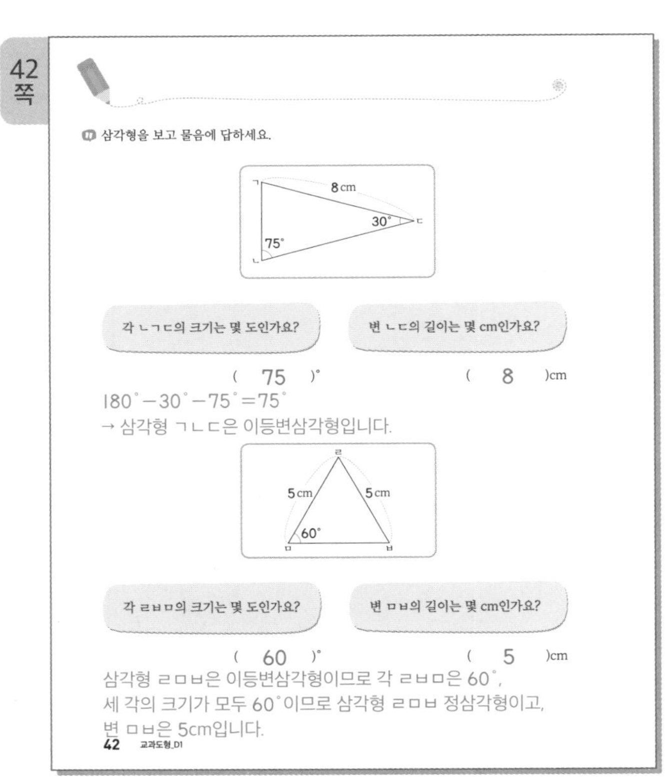

42쪽

삼각형을 보고 물음에 답하세요.

ㄱ, ㄴ, ㄷ, 8 cm, 30°, 75°

각 ㄴㄱㄷ의 크기는 몇 도인가요? (75)°

변 ㄴㄷ의 길이는 몇 cm인가요? (8)cm

$180° - 30° - 75° = 75°$

→ 삼각형 ㄱㄴㄷ은 이등변삼각형입니다.

ㄹ, ㅁ, ㅂ, 5 cm, 5 cm, 60°

각 ㄹㅂㅁ의 크기는 몇 도인가요? (60)°

변 ㅁㅂ의 길이는 몇 cm인가요? (5)cm

삼각형 ㄹㅁㅂ은 이등변삼각형이므로 각 ㄹㅂㅁ은 60°,
세 각의 크기가 모두 60°이므로 삼각형 ㄹㅁㅂ 정삼각형이고,
변 ㅁㅂ은 5cm입니다.

42 교과도형_D1

4주차 각의 크기와 삼각형

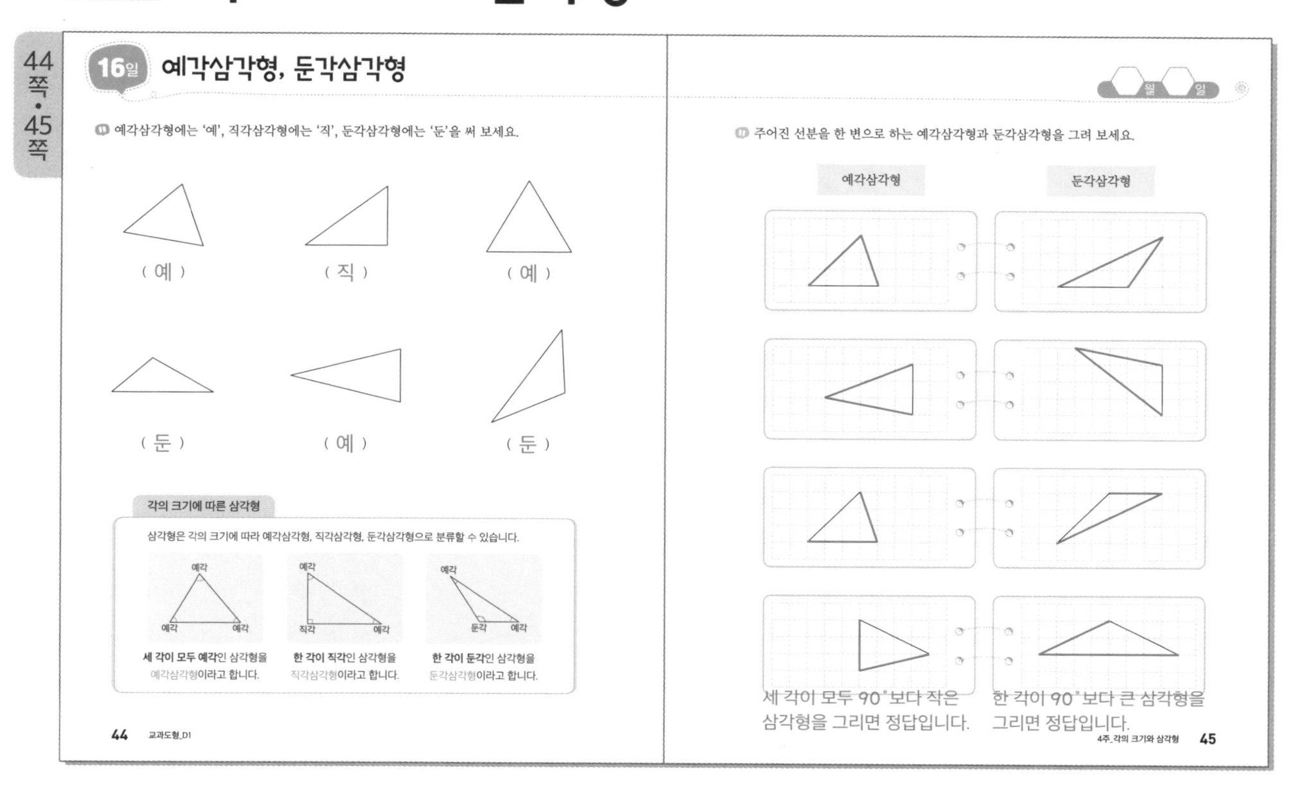

44쪽·45쪽
16일 예각삼각형, 둔각삼각형
예각삼각형에는 '예', 직각삼각형에는 '직', 둔각삼각형에는 '둔'을 써 보세요.
(예)
(직)
(예)
(둔)
(예)
(둔)
각의 크기에 따른 삼각형
삼각형은 각의 크기에 따라 예각삼각형, 직각삼각형, 둔각삼각형으로 분류할 수 있습니다.
세 각이 모두 예각인 삼각형을 예각삼각형이라고 합니다.
한 각이 직각인 삼각형을 직각삼각형이라고 합니다.
한 각이 둔각인 삼각형을 둔각삼각형이라고 합니다.
주어진 선분을 한 변으로 하는 예각삼각형과 둔각삼각형을 그려 보세요.
예각삼각형
둔각삼각형
세 각이 모두 90°보다 작은 삼각형을 그리면 정답입니다.
한 각이 90°보다 큰 삼각형을 그리면 정답입니다.
44 교과도형_D1
4주_각의 크기와 삼각형 45

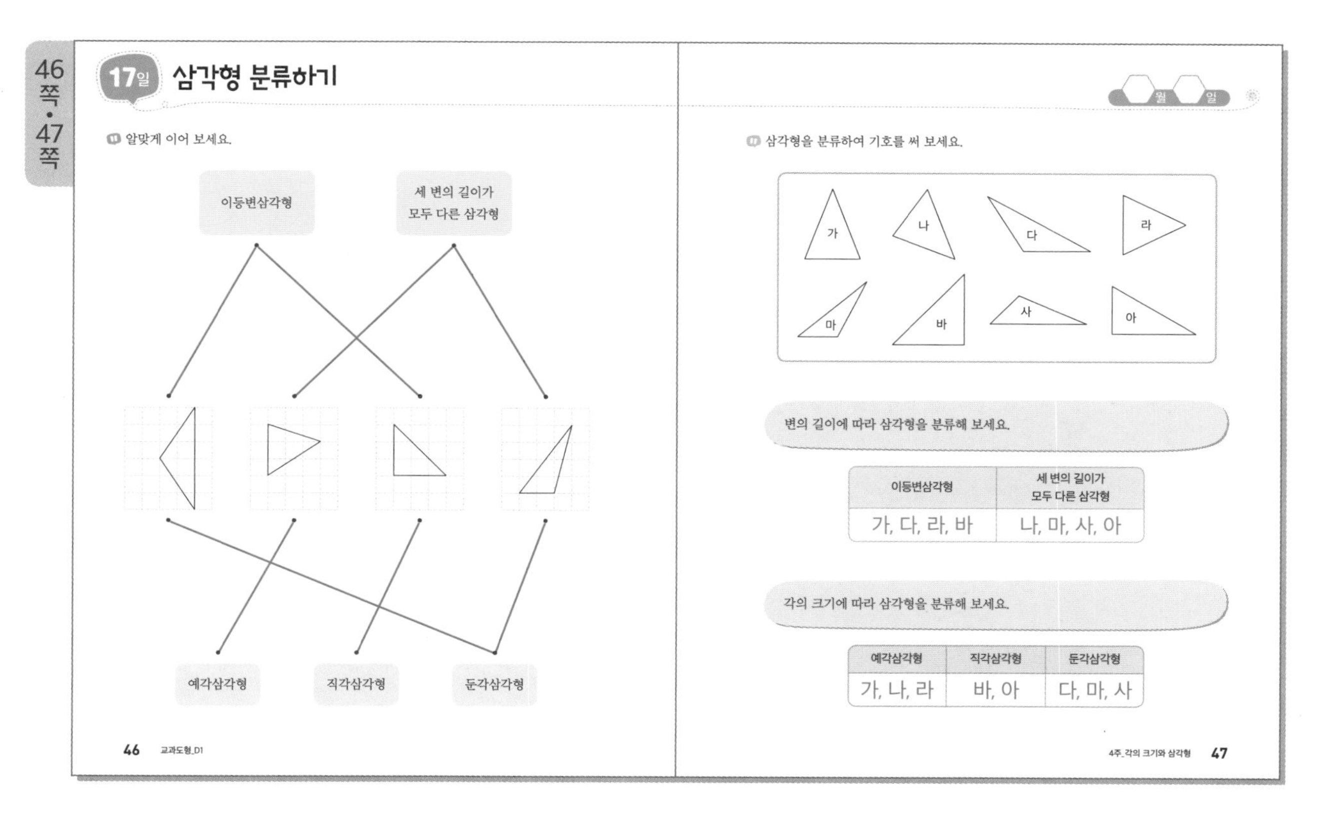

48쪽 · 49쪽

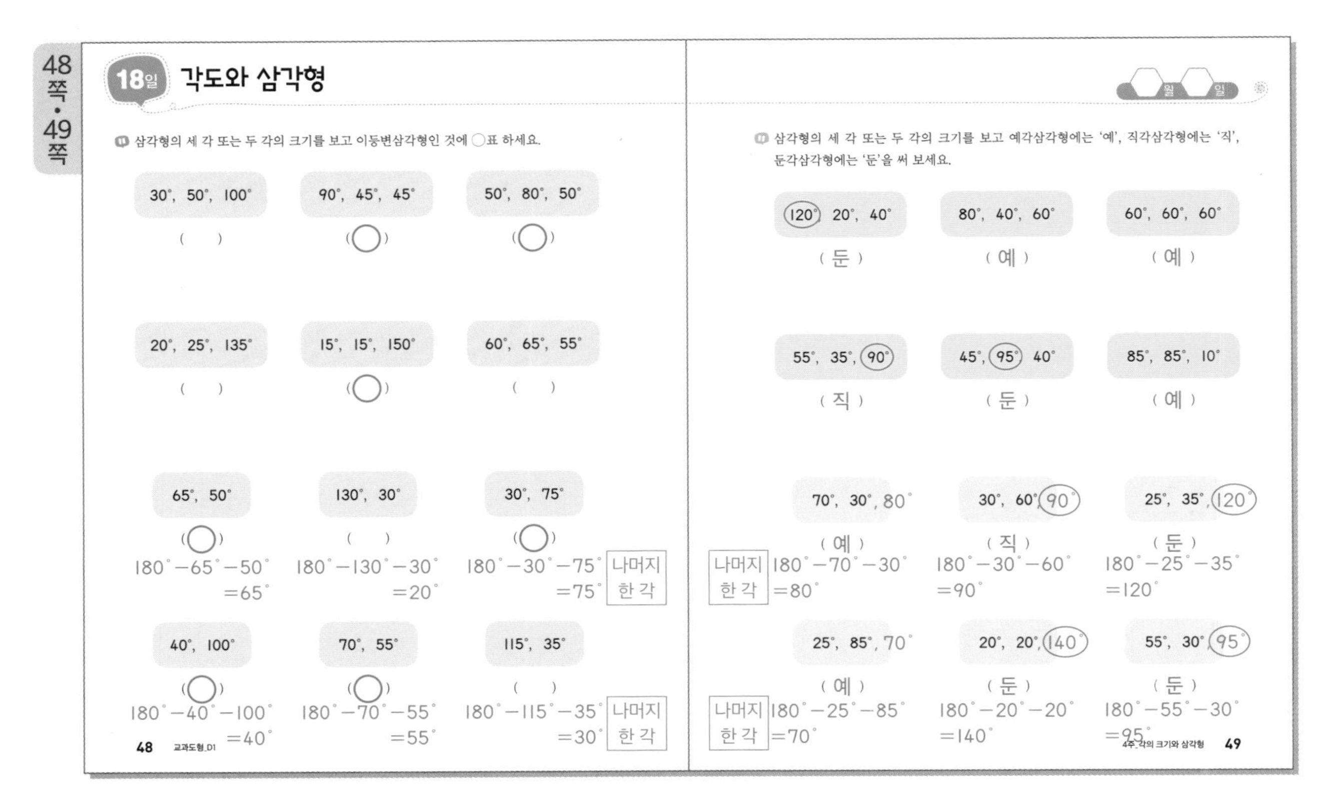

18일 각도와 삼각형

① 삼각형의 세 각 또는 두 각의 크기를 보고 이등변삼각형인 것에 ◯표 하세요.

30°, 50°, 100°	90°, 45°, 45°	50°, 80°, 50°
( )	(◯)	(◯)
20°, 25°, 135°	15°, 15°, 150°	60°, 65°, 55°
( )	(◯)	( )
65°, 50°	130°, 30°	30°, 75°
(◯)	( )	(◯)
180°−65°−50°=65°	180°−130°−30°=20°	180°−30°−75°=75° 나머지 한 각
40°, 100°	70°, 55°	115°, 35°
(◯)	(◯)	( )
180°−40°−100°=40°	180°−70°−55°=55°	180°−115°−35°=30° 나머지 한 각

② 삼각형의 세 각 또는 두 각의 크기를 보고 예각삼각형에는 '예', 직각삼각형에는 '직', 둔각삼각형에는 '둔'을 써 보세요.

(120°) 20°, 40°	80°, 40°, 60°	60°, 60°, 60°
(둔)	(예)	(예)
55°, 35°, (90°)	45°, (95°) 40°	85°, 85°, 10°
(직)	(둔)	(예)
70°, 30°, 80°	30°, 60°, (90°)	25°, 35°, (120°)
(예)	(직)	(둔)
나머지 한 각 180°−70°−30°=80°	180°−30°−60°=90°	180°−25°−35°=120°
25°, 85°, 70°	20°, 20°, (140°)	55°, 30°, (95°)
(예)	(둔)	(둔)
나머지 한 각 180°−25°−85°=70°	180°−20°−20°=140°	180°−55°−30°=95°

48 교과도형_D1 · 4주_각의 크기와 삼각형 49

50쪽 · 51쪽

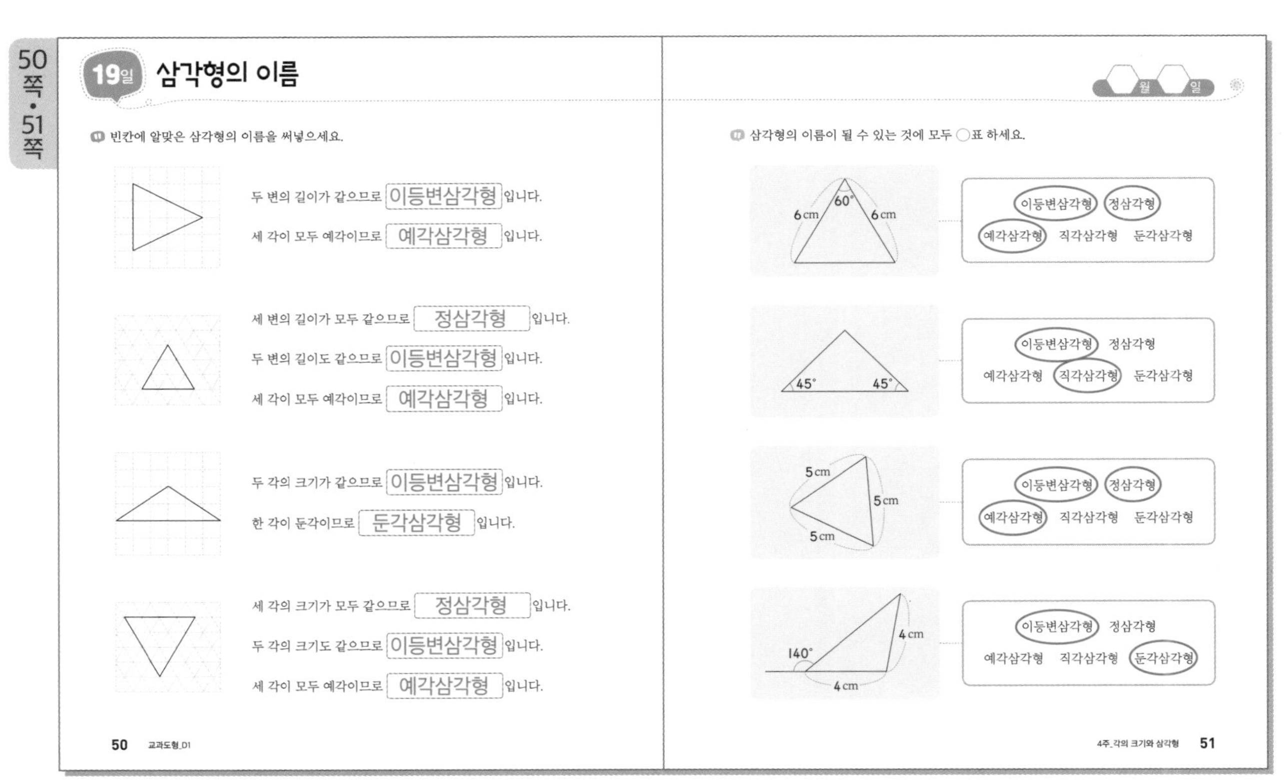

19일 삼각형의 이름

① 빈칸에 알맞은 삼각형의 이름을 써넣으세요.

두 변의 길이가 같으므로 이등변삼각형 입니다.
세 각이 모두 예각이므로 예각삼각형 입니다.

세 변의 길이가 모두 같으므로 정삼각형 입니다.
두 변의 길이도 같으므로 이등변삼각형 입니다.
세 각이 모두 예각이므로 예각삼각형 입니다.

두 각의 크기가 같으므로 이등변삼각형 입니다.
한 각이 둔각이므로 둔각삼각형 입니다.

세 각의 크기가 모두 같으므로 정삼각형 입니다.
두 각의 크기도 같으므로 이등변삼각형 입니다.
세 각이 모두 예각이므로 예각삼각형 입니다.

② 삼각형의 이름이 될 수 있는 것에 모두 ◯표 하세요.

50 교과도형_D1 · 4주_각의 크기와 삼각형 51

52쪽 • 53쪽

20일 변의 길이와 각의 크기

바르게 설명한 것에 ○표, 잘못 설명한 것에 ×표 하세요.

이등변삼각형이면서 직각삼각형인 삼각형이 있습니다. (○)

두 변의 길이가 같은 삼각형을 정삼각형이라고 합니다. (×)

세 변의 길이가 같은 삼각형을 정삼각형이라고 합니다.

둔각삼각형이면서 이등변삼각형인 삼각형이 있습니다. (○)

정삼각형은 이등변삼각형이라고 할 수 있습니다. (○)

정삼각형은 두 변의 길이도 같으므로 이등변삼각형이기도 합니다.

모든 삼각형에는 예각이 적어도 하나는 있습니다. (○)

예각·직각·둔각삼각형 모두 예각이 있습니다.

정삼각형이면서 둔각삼각형인 삼각형이 있습니다. (×)

정삼각형 한 각의 크기는 60°입니다.

예각이 있는 삼각형은 모두 예각삼각형입니다. (×)

직각·둔각삼각형에는 예각이 2개 있습니다.

월 일

물음에 답하세요.

한 변의 길이가 8 cm인 정삼각형의 세 변의 길이의 합은 몇 cm일까요?

8 cm

$8 \times 3 = 24$(cm)

(24)cm

세 변의 길이의 합이 27 cm인 정삼각형이 있습니다. 이 정삼각형의 한 변의 길이는 몇 cm일까요?

27 cm

$27 \div 3 = 9$(cm)

(9)cm

이등변삼각형 ㄱㄴㄷ의 세 변의 길이의 합이 19 cm입니다. 변 ㄱㄷ의 길이는 몇 cm일까요?

ㄱ ㄴ ㄷ 5 cm

변 ㄱㄴ과 변 ㄱㄷ의 길이의 합: $19 - 5 = 14$(cm)

변 ㄱㄴ과 변 ㄱㄷ의 길이가 같으므로

변 ㄱㄷ의 길이는 $14 \div 2 = 7$(cm)입니다.

(7)cm

54쪽

물음에 답하세요.

삼각형 모양의 색종이를 반으로 접었더니 완전히 겹쳐졌습니다. 각 ㄴㄱㄷ의 크기와 변 ㄱㄷ의 길이를 각각 구해 보세요.

ㄱ 6 cm 80° 50° 50° ㄴ ㄷ

색종이가 완전히 겹쳐졌으므로

삼각형 ㄱㄴㄷ은 변 ㄱㄴ과 변 ㄱㄷ의 길이가 같은 이등변삼각형입니다.

각 ㄴㄱㄷ: (80)°

변 ㄱㄷ: (6)cm

한 변의 길이가 5 cm인 정사각형 모양의 색종이를 다음과 같이 접었습니다. 각 ㄱㄴㄷ의 크기와 변 ㄱㄴ의 길이를 각각 구해 보세요.

5 cm ㄱ ㄴ ㄷ

변 ㄱㄴ은 색종이 왼쪽 변,

변 ㄱㄷ은 색종이의 오른쪽 변이므로

삼각형 ㄱㄴㄷ은 세 변의 길이가 모두 같은 정삼각형입니다.

각 ㄱㄴㄷ: (60)°

변 ㄱㄴ: (5)cm

도형플러스+ 삼각자와 각도

56쪽 · 57쪽

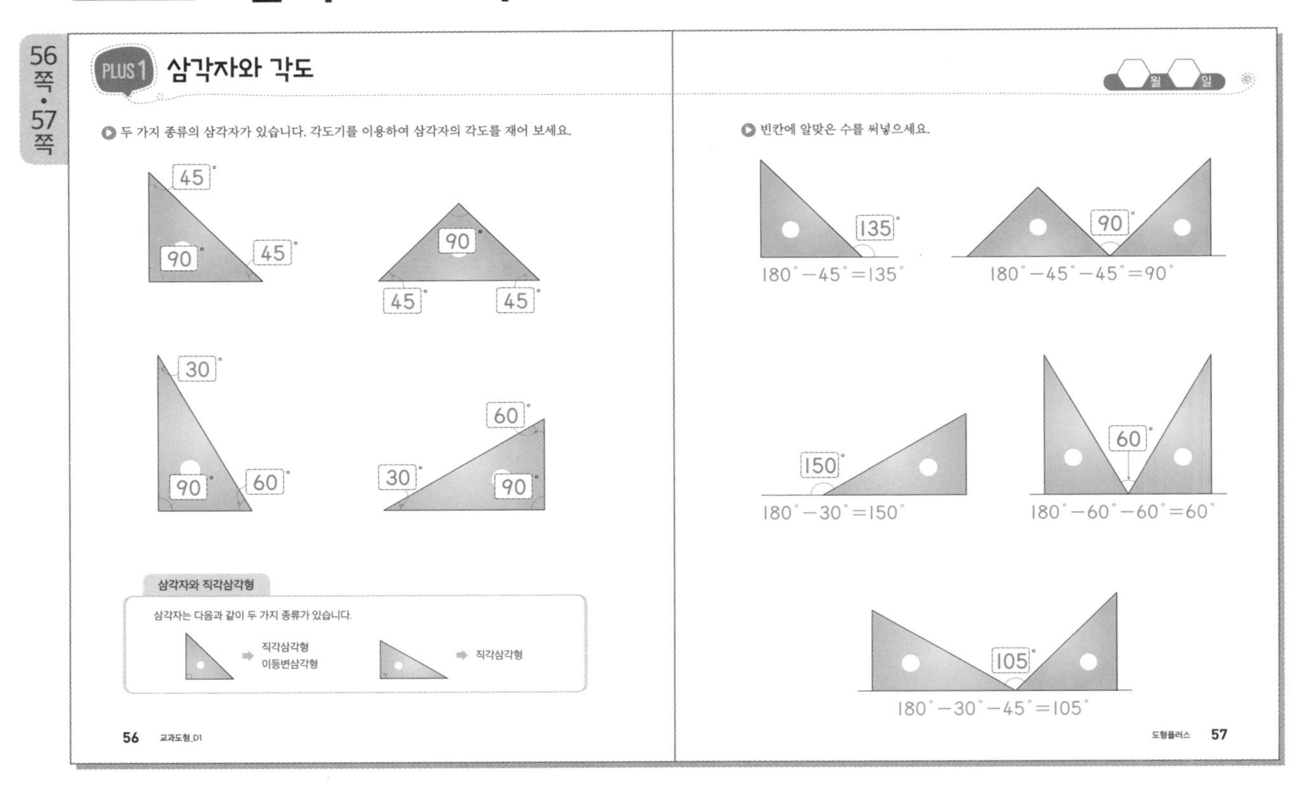

PLUS 1 삼각자와 각도
월 일
두 가지 종류의 삼각자가 있습니다. 각도기를 이용하여 삼각자의 각도를 재어 보세요.
45°
90°
45°
90°
45°
45°
30°
90°
60°
60°
30°
90°
삼각자와 직각삼각형
삼각자는 다음과 같이 두 가지 종류가 있습니다.
직각삼각형
이등변삼각형
직각삼각형
빈칸에 알맞은 수를 써넣으세요.
135°
180°−45°=135°
90°
180°−45°−45°=90°
150°
180°−30°=150°
60°
180°−60°−60°=60°
105°
180°−30°−45°=105°
56 교과도형_D1
도형플러스 57

58쪽 · 59쪽

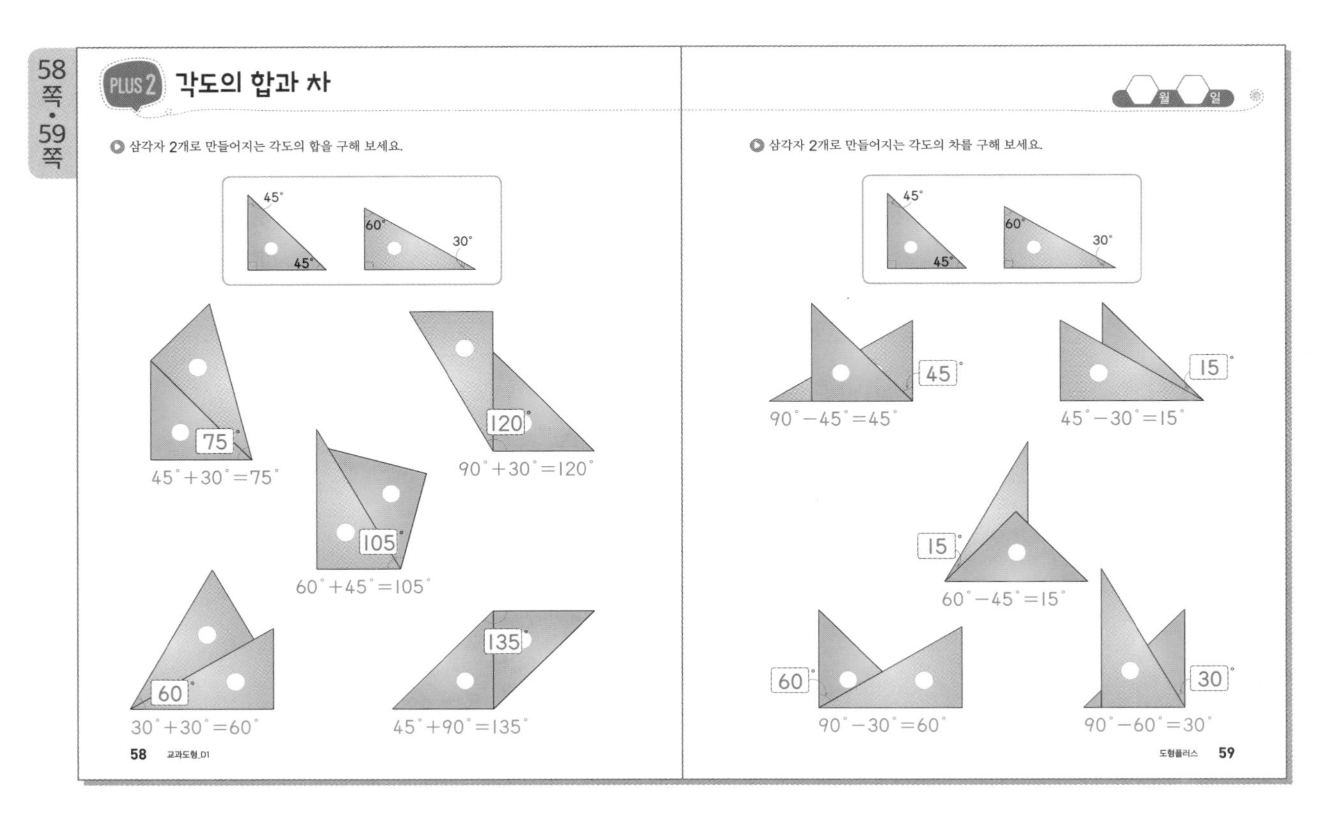

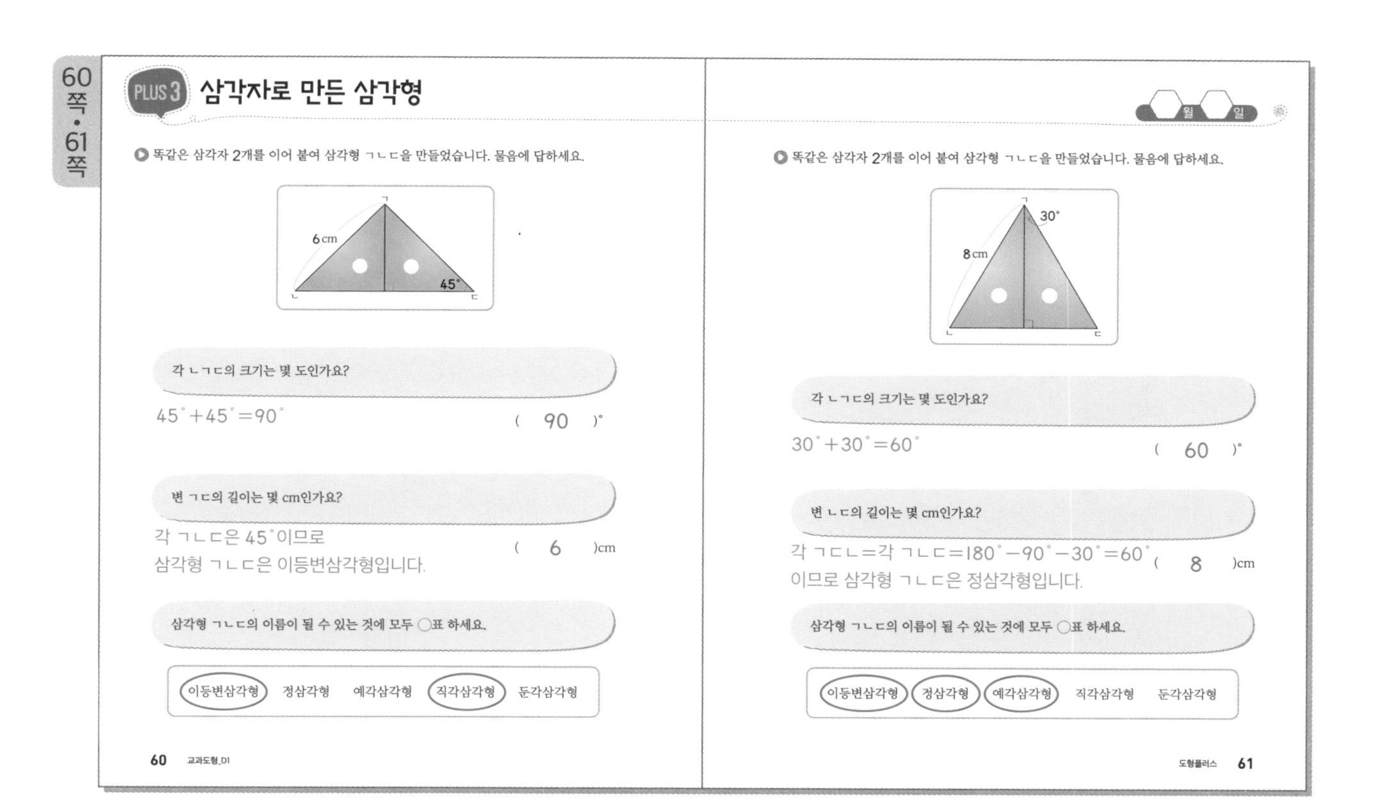

60쪽·61쪽

PLUS 3 삼각자로 만든 삼각형

월 일

▶ 똑같은 삼각자 2개를 이어 붙여 삼각형 ㄱㄴㄷ을 만들었습니다. 물음에 답하세요.

각 ㄴㄱㄷ의 크기는 몇 도인가요?

45°+45°=90°

(90)°

변 ㄱㄷ의 길이는 몇 cm인가요?

각 ㄱㄴㄷ은 45°이므로
삼각형 ㄱㄴㄷ은 이등변삼각형입니다.

(6)cm

삼각형 ㄱㄴㄷ의 이름이 될 수 있는 것에 모두 ○표 하세요.

(이등변삼각형) 정삼각형 예각삼각형 (직각삼각형) 둔각삼각형

60 교과도형_01

▶ 똑같은 삼각자 2개를 이어 붙여 삼각형 ㄱㄴㄷ을 만들었습니다. 물음에 답하세요.

각 ㄴㄱㄷ의 크기는 몇 도인가요?

30°+30°=60°

(60)°

변 ㄴㄷ의 길이는 몇 cm인가요?

각 ㄱㄷㄴ=각 ㄱㄴㄷ=180°−90°−30°=60°
이므로 삼각형 ㄱㄴㄷ은 정삼각형입니다.

(8)cm

삼각형 ㄱㄴㄷ의 이름이 될 수 있는 것에 모두 ○표 하세요.

(이등변삼각형) (정삼각형) (예각삼각형) 직각삼각형 둔각삼각형

도형플러스 61

정답

64쪽 · 65쪽

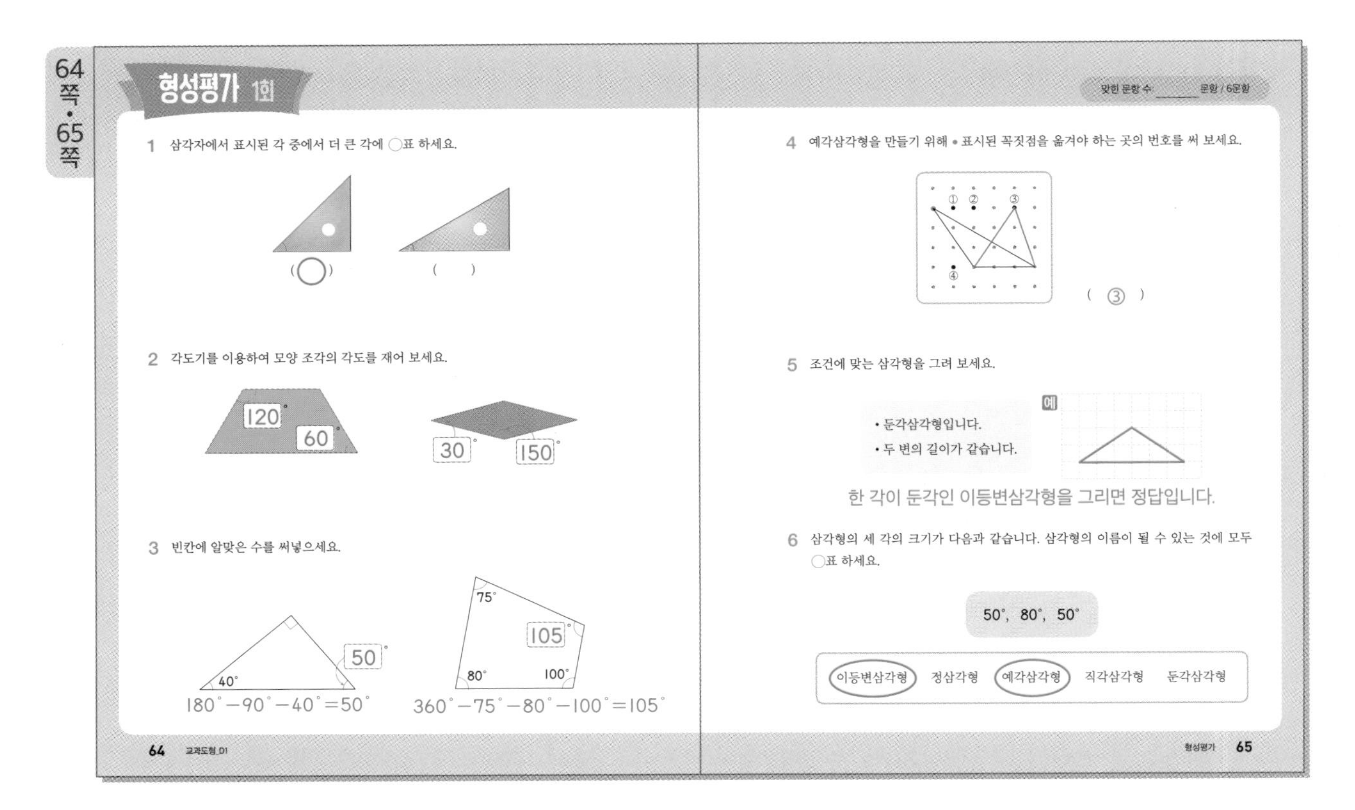

형성평가 1회

맞힌 문항 수: ______ 문항 / 6문항

1 삼각자에서 표시된 각 중에서 더 큰 각에 ○표 하세요.

(○) ( )

2 각도기를 이용하여 모양 조각의 각도를 재어 보세요.

120°, 60° / 30°, 150°

3 빈칸에 알맞은 수를 써넣으세요.

40°, 50° / 75°, 105°, 80°, 100°

$180^\circ-90^\circ-40^\circ=50^\circ$

$360^\circ-75^\circ-80^\circ-100^\circ=105^\circ$

4 예각삼각형을 만들기 위해 • 표시된 꼭짓점을 옮겨야 하는 곳의 번호를 써 보세요.

① ② ③ ④

(③)

5 조건에 맞는 삼각형을 그려 보세요.

• 둔각삼각형입니다.
• 두 변의 길이가 같습니다.

예

한 각이 둔각인 이등변삼각형을 그리면 정답입니다.

6 삼각형의 세 각의 크기가 다음과 같습니다. 삼각형의 이름이 될 수 있는 것에 모두 ○표 하세요.

50°, 80°, 50°

(이등변삼각형) 정삼각형 (예각삼각형) 직각삼각형 둔각삼각형

64 교과도형_D1 · 형성평가 65

66쪽 · 67쪽

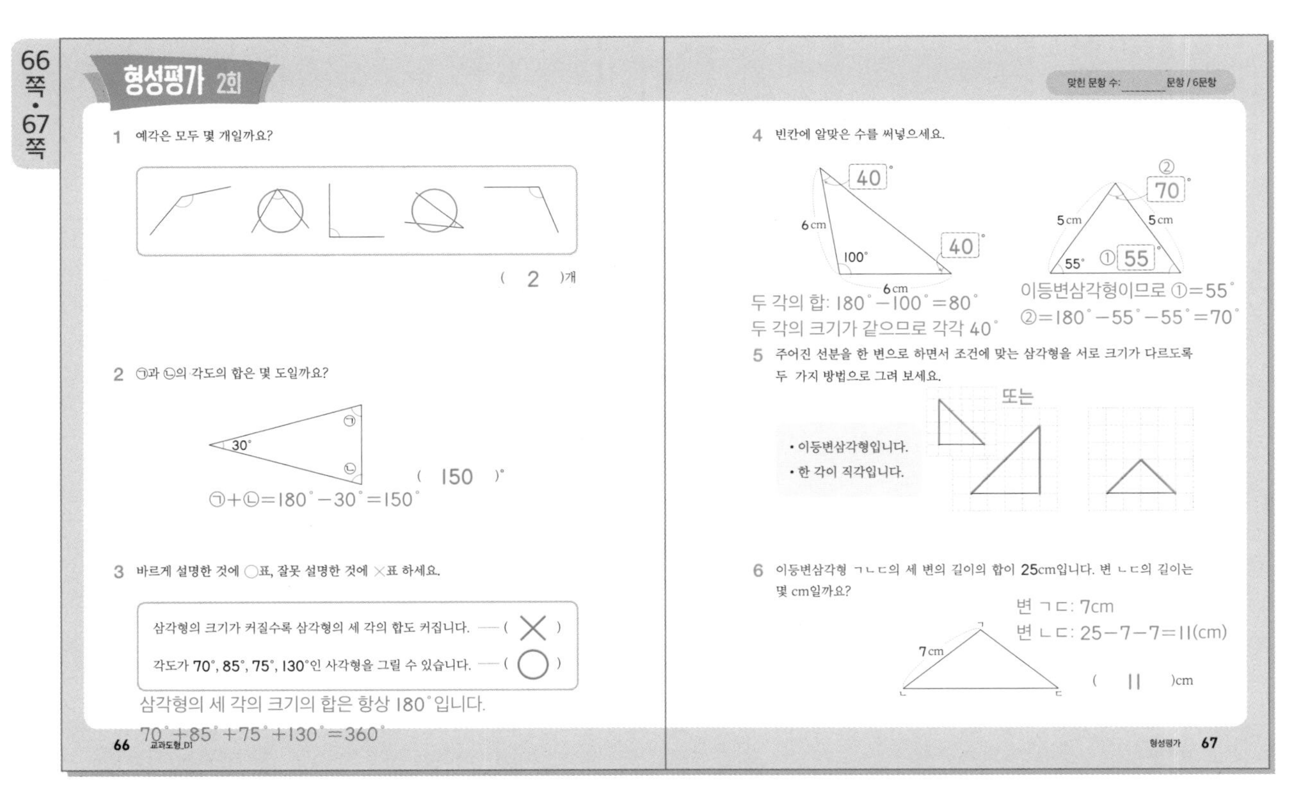

형성평가 2회

맞힌 문항 수: ______ 문항 / 6문항

1 예각은 모두 몇 개일까요?

(2)개

2 ㉠과 ㉡의 각도의 합은 몇 도일까요?

30°, ㉠, ㉡

(150)°

㉠+㉡$=180^\circ-30^\circ=150^\circ$

3 바르게 설명한 것에 ○표, 잘못 설명한 것에 ×표 하세요.

삼각형의 크기가 커질수록 삼각형의 세 각의 합도 커집니다. (×)

각도가 70°, 85°, 75°, 130°인 사각형을 그릴 수 있습니다. (○)

삼각형의 세 각의 크기의 합은 항상 180°입니다.

$70^\circ+85^\circ+75^\circ+130^\circ=360^\circ$

4 빈칸에 알맞은 수를 써넣으세요.

40°, 6 cm, 100°, 40°, 6 cm / ② 70°, 5 cm, 5 cm, 55°, ① 55°

두 각의 합: $180^\circ-100^\circ=80^\circ$

두 각의 크기가 같으므로 각각 40°

이등변삼각형이므로 ①=55°

②$=180^\circ-55^\circ-55^\circ=70^\circ$

5 주어진 선분을 한 변으로 하면서 조건에 맞는 삼각형을 서로 크기가 다르도록 두 가지 방법으로 그려 보세요.

• 이등변삼각형입니다.
• 한 각이 직각입니다.

또는

6 이등변삼각형 ㄱㄴㄷ의 세 변의 길이의 합이 25cm입니다. 변 ㄴㄷ의 길이는 몇 cm일까요?

ㄱ, 7cm, ㄴ, ㄷ

변 ㄱㄷ: 7cm

변 ㄴㄷ: 25−7−7=11(cm)

(11)cm

66 교과도형_D1 · 형성평가 67

하루 한 장 60일 집중 완성 교과도형

"한 권이면 충분합니다."

도형을 다양한 문장과 그림,
수식으로 표현합니다.

감각
sense

도형 학습의 바탕이 되는
공간감각을 길러줍니다.

표현
expression

측정
measurement

측정을 더하여
도형 학습을 완성합니다.